織田作之助 評論選

# 「可能性の文学」への道

本の泉社

〈目次〉

# 「可能性の文学」への道

織田作之助評論選

# 小説の藝

―文藝時評―

三度の飯より小説の方が好きだ、という言葉があるが、僕なんかもまあその口で、三度の飯はとにかく、一度位は飯を抜かして小説に読み耽ることが応々にしてある。だから、飯を食うようにして小説を読む。大阪で生れ、大阪で育ったから食物にかけてはなかなか注文がやかましい。そのように小説でもとても口に合わぬ作品と、飛びついてムシャムシャやる作品と二通りがはっきり決っている。矢張りうまい小説など下痢する位読みたいと思う。滋養が多くても肝油のような小説は駄目だ。板前の冴えたものなど、いくら滋養分がなくても、先ずその方へ手が行く訳だ。

五月の小説では里見弴氏の「長屋総出」（文藝春秋）に先ず眼を通した。うまい。鮮かな板前の冴えである。先ず、拙けりゃ銭はいらねえよといった小説である。が、この江戸っ子気質が僕如き大阪人には些か歯切れが良すぎて、困るのだ。だから何かと文句をつけたがる。その根性でつけてみると、先ず冒頭の書き出しだ。

「長屋、と言っても、家賃なら四五六十円、徐行で互に気をつけ合えば、自動車も擦れ違える往来に面した二階建の四間から七間ほど、第一土地柄がお膝元の、高燥閑雅な麹町区内ゆえ、……」

どこか泉鏡花の匂いがする。鏡花無きあとうまさにかけては天下ピカ一の里見氏であってみれば、このような凝った、立板に水式の書出しでなければおかしくって筆もとれないと思うのは当然だろうが、しかし何か古い。子供が親爺の頭のはげたのを気にするようで、何れは子供の方が無理なのであろうが、どうもこの名代は、僕ら洋服を着た若者がはいって行くには、店の構えが凝りすぎだ。構えなど怖らずにはいれば、うまいことはもう何と言ってもうまいのだが。

そこへいくと、高見順氏の「嫌人的」（文藝春秋）などはすっとはいって行ける。殊にこの小説は例の饒舌がうまく整理されていて、素直に読める。現代人の一つの型をやはり書いていて、いってみれば、高見氏の定食を出された感じだが、これを石川達三氏の「征服」(文藝)に比較してみると、高見氏の良さがよく分るのだ。「征服」は如何にもひどい小説で、僕はかつて同氏の「結婚の生態」を読んで、吹き出してしまい、且つその神経の逞(たくま)しさに妙に圧迫されたことがあるが、高見氏の神経は石川氏のそれと違って、先ず繊細なものだ。たとえば、この頃単行本となった、「如何なる星の下に」などはその繊細な神経に触れた浅草の風景がよく出ているが、しかし、僕は近頃高見氏が題材的にマンネリズムに陥ったという気がしてならない。正反対の魂をもつ現代人が対決する、そのような題材は恐らく高見氏の人間探究に欠くべからざるもののようであるが、何か懐古的な臭みがあると僕は思い、読むたびにああ例ものあれかと思う。

が、ともあれ高見氏は氏自身のものである一つのスタイル、話術というものを発見し、身につけている。この一事は一見何でもないことのように見えて、その実容易ならぬ問題である。小説家が自分自身のスタイル、話術を発見するということは、その小説家の存在価値の殆んど半以上を占めているものであり小説の面白さというものは先ずこれがアプリオリになっていることを、宇野浩二氏の言草ではないが、年少の読者よ、よく了解しなければならぬと思う。

つまりは、誰が書いたのか分からぬような小説は余程の傑作で無い限り、随分つまらぬものなのだ。スタイルといい話術というこの言葉は誤解され易いが、これは言いかえるならば作者の人間発見の支えとなるもので、石川達三氏が未だ氏独特のスタイル、話術を発見していないことは、即ち氏が未だ人間発見をしていないことになるので、その点氏は未来の作家に属し、そこをのみ期待されているのである、つまり、こぢんまり纏っているよりは、粗雑な大いさ。矢崎弾氏が石川達三論（文藝）で石川氏を弁護している文章も要約すれば、そこに尽きるのであろう。

スタイル、話術を駆使して一つの題材を料理するのが小説の藝だ。そして藝の衰えとはスタイル、話術のマンネリズム化したことをいうのであり、藝の鮮かさとはこれあるがために題材が光ったことをいうのであるとこう書けば、稍教師臭(ややペダン)いが、僕らは物差しのような批評の基準をもたない以上、うまさ拙さを味うよりほかに何とも批評の仕様はない、つまり小説の藝のあらわれを読みとって行くより批評はあり得ない。ただ小説は料理とちがって人間のことを書いたのであるから、批評する人間さまざまの各自のいい分はある訳だが、小説の藝以外の何を言ってみたところで、たとえば円を語るのに多角形を語っているようなもので、多角形の辺をいくら増加させてみても円にならないようなものだ。なると思うのは幾何学の夢に過ぎない。

さて、小説の藝のもっとも鮮かなあらわれは今日の作品では先にあげた里見氏の「長屋総出」だが、次には武田麟太郎氏の「娘」（公論）だ。里見氏のうまさは、いかにもうまいと思わせるうまさだ。うまいとこちらが思わねば作者にとっては身もふたもなくなるようなうまさだ。読み終って——ことに最後のところがうまい——ポンと膝をたたくうまさだが、武田氏のうまさはそんなギラギラ光ったうまさではない。作者の覘（うかが）った題材がそして効果が過不足なく読者に印象されるというう まさだ。二つの小説の書出しを比べてみると分る。前者の書出しに就てはさきに書いた。後者のうまさは、どこがうまいのか、文章の構造を調べてみたところが一寸分らぬが、しかし一度すっとよんだだけで、ある淋しい郊外の駅の夜の暗さが、淋しさが寒さが一ぺんに頭にはいって来る。しかも、一見何気ない書き方だ。僕は武田氏のうまさも遂に此の境地に達したのかと驚きながら読み、そして読み終ってそのうまさに手もなく翻弄されている自分に気づいたのだが、どういうものか脱帽しかけた手が一寸躊躇された。というのはこの小説を半分よんでしまったとき、あとの半分が、即ち、話の結末が既に予想されたからだ。つまり、はじめから割切られた話であり効果であって、作者は全く不用意というよりも、むしろ意識的に題材の抒情に身を任せてしまっている。作者が作中人物に愛情をもっているがために、かえってこういう哀れな話がこういう割切れ話となってしまっており、作者の人間的良さが、小説家としての不逞さを弱めてしまった感がある。そしてこれはこの作者独特の持味であって、そこはかとなき作者の抒情に僕らは甘くゆすぶられるのであるが、僕は不逞にも作者がその抒情を捨てた時の姿を一度見てみたいものだと希望するものである。

（公論）には野澤富美子という二十歳の少女の小説「煉瓦女工」がある。二十歳の少女が書いた小説としては、なかなかうまいものだと感心した。ナイーヴな味という点で豊田正子を聯想させるが、野澤富美子の方がしっかりした腕をもっている。しかし、そのしっかりした腕がこの小説にわざわいしており、かえって豊田正子の綴方の方が立派だと思う。何れは作者の覘（ねら）ったナイーヴさではなく、無意識に出たナイーヴさであろうが、それがしっかりした腕をところどころ見せているために、僕ら大人は感心するはするが、何かしら考えこんでしまう。しっかりした個所を賞める可きか、ナイーヴな点をほめる可きか、しっかりした点を賞めるとすれば、二十歳という年齢を勘定にいれてのことで、ナイーブな点を賞めるとすれば、之はもう僕らの郷愁のようなもので作者とは全然関係の無いものだ。僕はいま之を書きながら、川端康成氏がこの作品を何と批評されるか、それをききたいものだと思った。因に此の小説の題材は、たいへん立派なものである。

「煉瓦女工」を読んで、火野葦平氏の「山芋日記」（文藝）を読むと、ここで素人と玄人の差がよく分る。「山芋日記」ではナイーヴというより、ある無学な山芋掘りの律儀な性格をその男の日記体にして表現したものだが、その性格が非常によくにじみ出せているところ、日記文の文章の味、日記の間に挟まれた小説のとぼけた味など、さすがに火野氏の藝を感じたが、しかしこの様な題材を書くのに百二十枚も費すとは、僕にはどうにもうなずけなかった。もう一つは、書かれてある人間の性格がいかにも古めかしい人情、義理、正義感で貫かれており、そういうものに対して作者の眼がどういう風に光っているか、読みとろうとしたが、結局作者の眼は光っていなかった。

編輯者の注文は十枚で文藝時評しろとのことであったが、五月号の諸雑誌に発表された小説を、いちいち取り上げて行くことは到底不可能だ。それで、印象に残った作品を中心に思いついたことを以上簡単に述べたが他にも語りたい小説はあった。


（『士』一九四〇年五月）

# 小説の思想

## (上)

思想という言葉は便利な言葉であるから、頗る流行し、誰でも使いたがる。まるで電車の回数券のようにポケットに入れて置いて、必要に応じて一枚ずつ千切って渡すという按配だが、千切って渡してそれでうまく目的地へ運んでくれると思うのは、あまりにあなた任せだ。言葉の世界に軌道は敷かれていない。使う人各々の意味をのせて何処へ運んで行くか、うっかりしていると飛んでもないところへ到着することもあるし、はじめから意味も何もない空のまま走ってしまうこともある。また故障して立ち往生もする。さまざまだ。さまざまだから便利だともいえるわけで、例えば「現代の思想」という言葉に対して「いや現代には思想なんかあるものか」とか「左様、思想のないところが現代の思想だ」とか、いろいろに使い分けようと思えば、勝手次第である。

いまの若い人達は（――と言っても筆者もまだ若いが――）文楽の人形芝居などあまりに見たがらぬようだが、その理由として、人形芝居には思想がないからねと嘯く。成る程、人形芝居の中には思想はないかも知れぬが、しかし「人形芝居の思想」というものは厳然としてあるはずだ。なければ、文五郎も榮三も紋十郎も永年その一途の道で苦労するはずはない。「人形芝居の思想」があるからこそわれわれも陶酔出来るのだ。人形使いが「人形芝居の思想」というものを信じていなければ、それはもう子供の遊びと同じだ。

小説の世界でも同じことである。「小説の中にある思想」と「小説の思想」とは厳密に区別して考えられねばならぬ。小説家が信じている、或は疑っている、または闘っている唯一のことは「小説の思想」であって「小説の中にある思想」とは少くとも小説家にとっては第二義的なものだ。さようなものは小説家でなくとも誰でも持ち得る思想であってべつに小説家の専売特許ではないのだ。しかし、読者は往々にして「小説の中にある思想」のみを読み取ろうとし「小説の思想」には眼もくれない。読者だけではなく、小説家もしばしばそんな藝当を演ずる。演じて「小説の中にある思想」で浮足立ってみても、しかし小説家を支えているものはただ「小説の思想」だけである。これはもう形式とか内容とかの問題をはなれて、いいかえればアプリオリのようなものである。

さて「小説の思想」とはどんなものか、その実体は何かといっても、まさか博物館へ行ってみるわけにも、人間の眼玉のように刳抜(くりぬ)いて取出すわけにも行かぬが実は古今東西の傑作の中にきびしく流れている融通無碍(ゆうずうむげ)なるものだ。などと私は責任逃れをいっているのではない。恋愛をしてみなければ「恋愛の思想」は納得出来ぬように「小説の思想」も傑作という、物に打っ突かってそこに読みとるよりほかに納得しようのない代物なのだ。

「小説の思想」だけで小説が支えられている、ということの一見何でもないことが納得され難いのは、実は小説のもつ不純な性格によるのであって、小説家というものは文章の武器を駆使してどんなことを書いてもよいという特権があり、よってこの特権を濫用して、さまざまな「私の思想」が物語られるからである。

しかし「私の思想」をいかに詳細に物語ったところで、それで小説になり得ないということは、例えば多角形の辺をいかに多く増しても円になり得ないようなもので、円い玉子も切りようで四角いなどという新解釈の流行も結局は不易なる「小説の思想」の前にははかないものである。

（下）

最近故泉鏡花氏の作品を読んで実に感嘆これを久しうし、思わず我を忘れた。と、未だ二十代の現代青年群の一人である私がこういえば、何か奇妙に響くが、そうして私もまた鏡花氏の作品に描かれた明治時代の風景というものに縁遠いものを感じ、我を忘れている己れの現代人意識というものに自信が持てなくなったのであるが、しかし鏡花氏の世界の古さ、狭さを難じてみたところで、子供が親爺のはげ頭を気にするようなもので、何れは子供の方が無理である。しかも鏡花氏のはげ頭からは眩しいくらいの後光がさしているのである。

この後光を「小説の思想」であると私は思った。鏡花氏の世界はすべて虚構である。幽霊の出て来ない作品はないという一事をもってみても分るように、何もかも虚構だが、その驚く可き文章の力によって現実に存在しない幽霊を真実に見せている。鏡花氏の「小説の思想」はこの文章の力で虚構の世界を造りあげ、それを真実に見せるという以外にはなく、全くの盲信で「小説の思想」をまるで神のように信仰し、そして自ら神の選ばれた子となり、遂には神となって天上した。

そうして、私もまた盲信者とまでは行かぬが、絶対の無神論者ではない。怠惰な私には未だ自分の「小説の思想」に関する神学は書けず、またしばしば破戒を犯す私には神の姿を拝める奇蹟も現れないのであるが、しかし私は今「嘘を書く快楽を真実への愛」にのた打ちまわっているのである。

既にして、私は「現代を描き得る作家」ではない。最近の愚作「夫婦善哉」も現代を描いていない。まるで現代の諸風景に尻ごみしているかのようである。現実に眼を外らしているかのようである。が、私は今のところ現実には興味がもてぬ。無論、私も現代人であってみれば、いつか現代の諸風景は私の作品にあらわれるであろうが、現代人であるというただそれだけの理由で、現代の諸風景がうかうかと作品にあらわれることを私は今希望しない。

現実に興味がもてぬというのは私は現実を信じないからである。私が信ずるのは、現実の中に瞬間瞬間にあらわれる真実だけである。嘘を書くのは真実をとらえるためである。嘘から出た真である。十日戎の呼声のように、あめの中からお多やんが飛んで出る小説を書きたいと思っている。

私は好んで「ある人の生涯」を書くが、その生涯にあらわれた瞬間瞬間の真実を見せてくれるからに外ならない。

私はまた大阪を主題にした小説ばかり書いているが大阪人のなかに真実の人間性が見られるからである。大阪に生れ、大阪に育ち、今なお大阪に住んでいる私は、根っからの大阪人であるが、私は今後いよいよ以て大阪人でありたいと考えている。そうしてこの希望は即ち「大阪人が書ける大阪人」になりたいということに外ならない。「ジュリアン・ソレルが書けたスタンダール」のように。小説家の願いとは、小説家の喜びとはまさにそれであると私は思うのだ。

大阪を書かんとする私にとって大阪唯一の作家藤澤桓夫（たけお）氏がいられることは大いなる力強さであり、藤澤氏の優れた大阪小説の数々は私へのきびしい鞭であることにいま私は非常な喜びを感じている。

最後に、小説修行とは忍術のようなもので、「私」を殺して小説家として生き、「小説の思想」の中に身を隠す極意を摑み得るいつかの日のことを願えば、洵（まこと）に小説の道遠くして正に日は暮れ易い。

（「大阪朝日新聞」一九四〇年六月一三・一四日）

# 感想

きょう藤澤桓夫さんと将棋したところ、想いに反して私の王様はところせまき盤面を逃げまわり、浮足立ってみぐるしく、哀れであったが、帰ってみると、入選を知らせる電報が来ていた。

手のない時は端の歩を突けで、私の「夫婦善哉」は自玉側の端の歩を突いたような小説で、手がなかったのである。突いてはみたが、矢張り行詰り模様で、既に私はあの小説の文体の行詰りを感じていた。今は私は勇を鼓して、大駒の交換を行わねばならぬと考えている。その時もはや私の文体は崩れ、局面の岐（わか）れは頗るむつかしくなるであろう。交換した駒を攻めに使うべきか、合駒に使用すべきか、今私は長考中である。合駒を使って、攻めて来る現代の諸風景を防ぐべきか、あるいはこちらから攻めて行くべきか。「夫婦善哉」では攻めも防ぎもしなかった。つまり、端の歩を突いたのである。たたかいはこれからである。中盤戦に定跡はないから、発見はこれからである。

「夫婦善哉」は私の魂の郷愁のような作品であるが、これから魂の放浪を続けて行きたい。ことしのはじめ私の姉は、お前は本年は年廻りわるくベタベタの黒星であるから、よくよく気をつけることと言った。是れをどういう訳かいま私は想い出した。

（『文藝』一九四〇年七月）

# 小説の本質

その小説がいいか悪いかという判断は読んだ後に残る感じが一番正しい。自分にはこれ以外の尺度はない。——こんな意味のことを志賀直哉氏がなにかに書いて居られた。何でもないことのようだがそして作家としては至極当然の言葉だが、矢張り私は感心した。

全く「これ以外の尺度はない」のである。ところが、それでは余り藝が無さすぎるというのか、今日小説の批評のさまざまな尺度が横行すること、まるで物差屋の店先である。最もあきれ果てた物差しには、例えばこんなのがある。

「櫻の國」という小説は大陸を描いている故に傑作である云々。嘘ではない。本当に私は読んだのである。「そこには内地と大陸を結ぶ現実の中で新しい建設的な人間像としての主人公なり、ヒロインが健全な生活を打ち建てているのである。

太田洋子には女性的な情操の豊かさに盛られた今日の日本的知性とも言うべき創造的契機たる倫理的態度を持っているのである」――ざっとこんな調子で、「文学に於ける人間探究の問題」という題がその批評文についていた。

いったいに、私は「文学に於ける何々的問題」などという言い方を好かないが、それはともかくとして、此の批評家は察するところ、大陸を描いているかどうかという尺度をもって、小説を読む、――いや調べるのであろう。それも別段悪いとは言わない。何か語りたい何々的問題があって、そのために小説を利用するのは勝手である。しかし、それだけでは小説の批評家としては落第である。小説家はこれらの批評家に帰納され得る何々的問題、――たとえば「今日の日本的知性とも言うべき創造的契機たる倫理的態度」というような洒落れたものを見せたさに、小説を書いていないのである。

ところが、最近この様な批評が流行して来た。時を得顔にと言っても良いかも知れない。そして、小説の本質がだんだん忘れられて行く。

例えば、こういう批評家に言わせると、泉鏡花の小説は、お化けばかり出て来るから、つまらない、だいいちお化けなんか現代にいるものかと言うことになる。莫迦々々しい批評である。しかし、いや泉鏡花の深さはそのお化けの世界を信じていたところにあるのだ、というのも、考えてみれば同じく莫迦々々しい。お婆さんなどたいていお化けを信じているではないか。

　してみると、鏡花の良さは——などと改めて説明する気はむろんさらさらないが、一言いえば、鏡花がお化けを信じたということはつまりお化けを言葉で再現し得ると信じたことに外ならず、そして鏡花の強さは、われを忘れて飽きもせず何十年間、生々しいお化けを書き続けたことにある。

　こと鏡花の小説に関する限りわれわれは煙草屋の看板を見る如くありありとお化けを見てしまうのである。つまり鏡花が文章の力を信じて、お化けの表現に一生を賭けてしまったからである。

　恐らく鏡花は現実などというものを信じなかったに違いない。信じたのは文章の力、言葉のお化けだけである。言いかえれば、小説だけを信じていたのである。客観だとか、主観だとか、現実だとか、倫理だとか、批判だとか、知性だとか、まるで郵便切手のように便利なそれらの言葉を蒐(あつ)めるのに浮身をやつさず、一生小説を書き続けて、迷いも狂いもなかったのは鏡花が小説の世界だけを信じた天才だったからである。

今日、小説家が小説の世界だけを信ずるということは誠に困難である。音楽家が音だけを、画家が色と線だけを信ずるように、小説家が小説の世界だけを信ずるというのは非常に困難である。

何故なら、小説は一見現実という対応物をもっているからである。現実のさまざまな出来ごと、風景思想が小説で語られるからである。小説は多かれ少かれ、現実を反映しているからである。

この意味で、前述の批評家などが得たりとばかり先ず何よりも小説中の現実を摘出、帰納することに浮身をやつすのである。もはや明瞭だが、小説は他の藝術に比べて不純な性格をもっているのである。その不純さのため、小説家は純粋に小説の世界だけを信じ通すということが困難になって来る。

そして遂に、新時代の結婚の打ち明け話を書くことや、現代の青年は如何に生くべきかを作中人物の口を借りて述べることが小説だと思い込んでしまうのである。小説家も、批評家も読者も。しかし果して鏡花の作品中のお化けは現実に対応しているかどうか。対応していないからつまらないと言う批評があるいはあるかも知れない。

しからば問う。小説の中の、例えば人間の顔の描写は現実の人間の顔には対応しているかどうか。紙の上に印刷された活字が顔に対応しているかどうか。既に明瞭だが小説の中で現実との対応ばかりを読み取ろうとするのはたとえばヴェートーヴェンの田園交響楽を聴きながら、眼をつぶって田園の風景を想い浮べようとするのと等しい愚なのである。われわれが小説の中に読み取るべきは、だからもはや現実との対応如何ではない。音の組み合せが音楽になるのと同じく、活字の組み合せが小説となる、——それを読み取るべきである。つまり、小説の本質を読み取るべきなのである。

活字という対象と全然類似のない形式で対象を表現する、そこに小説固有の藝があるのである。その小説固有の藝を忘れては、いかにわれわれが現実に対する新解釈で浮き足立ってみても、その作品は少くとも小説ではない。われわれは現実を書き、読むことは出来ない。ただ、小説を書き、小説を読むだけである。

小説の中にはわれわれが読み取るべき現実は転っていないのである。もし、われわれが小説の中でリアリティとでも呼ぶべきある種の現実を見ることが出来るとすればそれは正しく、独楽の如く、小説の中で絶えず回転しているものである。独楽を廻すのは小説の藝だ。その独楽を止めて、われわれはこれを分析することは出来ない。止めた瞬間に、独楽は転ってしまうからである。
　小説の世界を信ずるということは、廻転している独楽のみを信ずることなのである。止った独楽を見て、われわれは独楽の本質を知ることは出来ないのである。知る人ぞ知るであろう。

（「関西学院新聞」一九四〇年一二月二〇日）

# 二十代の文学

親に似ぬ子は鬼子と言われるが、今日同人雑誌の作家が鬼子でありたいとは、自他ともの願ではなかろうか。

既成文学がさまざまな意味で行詰っているとは、今日の常識である。その行詰りを打破するためには、あるいは沈黙のうちに苦しい思索が行われ、あるいは安易な掛声が威勢よく揚げられるなど、さまざまな文壇の新風景が見られること、今日ほどの盛観はかつて無かった。しかも、言多くして、行いこれに伴わない今のところの実情である。例えば大雑把に言って、昨日までのリアリズムの作家が、今日いきなりロマンチシズムの作品を創ることは不可能である。一歩譲つて、創ることが出来るとしても、自他ともに納得出来る、少くともわが胸に手をあてて腑に落ちる作品を創ることは容易ならぬ困難である。作品の表面、素材の上で一見新しい文学めいた臭を発散せしめることは、例えば空瓶の中へ小便するようなもので、実に簡単なことだが、しかしあとで永年のわが家の不浄所へこっそりあけに行くようでは、所詮はたいしたこともない。物臭の間に合わせに過ぎないのである。

まことに既成作家にとっては、各自の良心にかけて新しい文学を創り出すことは困難である。そこで考えられる理想的な状態は、今日の行詰った既成文学を指導するに足る新しい文学運動が同人雑誌の作家によって起され、既成文学に無かった新しい性格の作品が同人雑誌に発表されることである。今更言う迄もないことである。同人雑誌の本来の在り方だ。

既成文学は老いて従うべき鬼子を求めているのである。ところが、今日同人雑誌に就て悲観的に言われていることは、即ち、同人雑誌の作家たちが余りにも親に似た子である云々。親子が似ているぶんには何の不思議もない筈だが、例えば路上や車内でお互いに余りに似ている親子を見てさえ、われわれはうんざりするではないか。宿命的ですらあるその因果関係に、なにか絶望じみた感慨を催すこともあるではないか。滑稽な気持もむろん感ずる。同人雑誌に就て、既成文学の眼が見るところもまたそれであり、無理からぬことではある。

「一口に同人雑誌の作家と云っても、今日のそれは、二十代の若さをもつものは寧ろ少くて、三十代、どうかすると四十に手のとどいた作家も珍らしくない。とすれば一概に謂ゆる若さを基準に押切るのはどんなものか……」という青野氏の言もさることながら、しかし例えばわれわれ二十代の同人雑誌の作家の作品に若さがなく、謂う所の既成文学の粕をなめているといわれるのは何としたことか、我人ともに考えるべきところであろう。

しかし私一個の考えなのだが、一見若さが無いといわれる作品の中にこそ、逆説的に二十代の文学の特徴があると言えば、言えるかも知れないのである。思うに、われわれ二十代の青年は（——と言い切ってしまっては言い過ぎになるかも知れぬが、少くとも一部の者は）信念を獲得することを遂に教えられなかった、理想に狂奔することの出来なかった、夢をもつことの出来ない、何ごとかを叫びあげることに照れざるを得ない、——厄介な魂を口惜しくももっているのである。誇張、叫び、ガラガラした未熟な思想の報告、女々しさ、浮足立った観念、自己告白、——そういうものに先ず嫌悪の表情を見せた。なんのことはない、自分のもっている若い心の風景に嫌悪し、若さの特権を自ら放擲したわけである。そういう嫌悪は当然余勢を駆って、既成文学の作品中に仕掛けた個々の思想にややもすれば無節操の匂いを嗅ぎ、思い上りを見、また、女々しい回顧や暴露症的な自己告白には羞恥なきものを読み取った。そこで、彼が既成文学から好んで読みとったものは、文学が純粋にもっている魅力、即ち比喩を使って言えば、例えば「小説の中にある思想」ではなくて、「小説の思想」であった。

　そういう彼が作品を作る場合、だからどうしても彼の若い心の風景に無縁の、つまり一見若さがないと見える作品を作り勝ちなのである。しかしまた、そういう意味に於て、そのことが彼の消極的な若さを逆説的にあらわしていると、言えば言えるわけである。手っ取り早い例で言えば、私の愚作「夫婦善哉」の中にも、そういう意味での若さがあると言えるわけである。つまり、あの作品の中で大阪の市井という魂の故郷を再発見しようとする私を駆り立てたのは、私の若さへの嫌悪であった。その嫌悪が作品の表面に出なかったために、そしてまた大阪のもつ伝統的な性格が理解されなかったために、あの作品は大人振っていると簡単に定評づけられたが、実は以てのあの作品は私の若気の至りである。技術的に見ても、炯眼の人はそれを見抜いた筈である。そしてまた私が折角見出した大阪の市井という魂の故郷の中で、不安な眼をしょぼつかせていたことも、あの性急なスタイルから読みとれた筈である。まことに川端氏の評言にあるように「やや下向きの表情」だったのである。

　そしてこのことは私一個人の事情ではなく、多少とも今日の二十代の同人雑誌作家に共通した特徴であると、私は憶測する。若い心の風景に浮足立つのがいやだからとて、(あるいはそれが書けないという理由もあるかも知れぬが) べつに市井リアリズム小説の伝統の下で胡坐を掻いたわけでもないのである。また、掻ける道理が無いわけである。つまり、一見既成文学の粕をなめていると見えた二十代の同人雑誌作家は、その意味で親に似ぬ子といえるのである。だからと言って、今日求められているところの鬼子でもないことは確かだ。言ってみれば、継子であろうか。そして此の継子が鬼子になるためには、われわれの逆説的な若さ、消極的な新しさが、作品の裏側から一歩出て、何かの意味で積極的なものになることが必要であることは確かだ。その時はじめて、新しい文学運動が二十代の作家によって起されるであろうと、言い切ることも容易である。が私は、もはやこれ以上のことをいま予言し、提唱する勇敢さを持ち合さない。

(『文藝』一九四一年二月)

# 大阪の感覚

## ―溝口健二次回作「大阪もの」を書いて―

いったいに文藝作品の映画化は、原作に遠く及ばないのを、常識とされている。たとえば多角形の辺をいくら根気よく増しても、円になり得ないようなものであろうか。よしんば、丸い玉子も切りようで四角にしたところで、所詮は切れ端が残るのである。つまりは、文学と映画とのジャンルの相違であろう。

けれど、今度溝口健二氏が演出される映画の原作(ストーリー)を書くに当って、私は余りこのギャップを感じなかった。何故だろうか。

簡単にいえば、私の原作がいわゆるオリジナル物であるからだ。つまりは、私の過去の小説を映画化するのではなく、映画のために新しく書き下したのである。大体こういうものを書こうと、あらかじめ溝口氏と打合せして置いたし、それに執筆中、何度も溝口氏や脚色の方々とお会いした。原稿もシナリオとして書いたのではないが、なるべくそのまま映画のシーンになるように考えて書き進め、映画化に無理な場面や描写ははぶくようにした。会話も大体映画の台詞を念頭に置いて、書いた。

このことは一見困難なようだが、私にとっては、存外容易な方法だった。高木孝一氏や杉山平一氏が指摘されたように、元来が私の小説の手法は映画的である。描写はすくないが、描写は殆んどすべて視覚的である。そして、音を大切に扱っている。また、風景描写は、これもすくないが、やれば殆んど光線を中心に風景を描写している。つまり感覚的手法なのである。それともう一つ、話術が映画のモンタージュに似ているのである。流れを追うて行くのだ。

かつて武田麟太郎氏は私の「夫婦善哉」という作品を、溝口氏の「残菊物語」に似ていると評せられた。このことはいくらか異論はあろうが、しかし、溝口氏の特徴の一つである一人の女性の性格と運命を、摑んで離さず執拗に追究して行く手法は、私もこれまで屡屡やって来た手法なのだ。

こんどの原作でも、私はその手法を用いた。即ち、一人の大阪女の積極的に逞しく生き抜く力を、執拗に追究したのである。敲いても敲いても、へこたれぬ大阪女のもつ比類なき勁さを描写しようとした。

描写という言葉を使ったが、不遜な言い方をすると、積極的に逞しく生き抜く女という、主として議論的、説明的に陥りやすいテーマを、私は一行の議論も説明もなしに、見せようと思ったのである。きかせる代りに、見せようというのである。

たとえば、観衆は溝口氏の完璧の演出法によって、七歳の孫娘である彼女が、どんな表情で御飯を食うかというところも、見てくれるであろう。けっして、洒落た大阪娘ではないのである。いわゆる嬢はんという大阪娘の類型ではないのである。生れた途端に苦労のはじまっている大阪娘なのだ。彼女が河童路地という変梃な路地裏の水道場の鈍い電灯の光の下で洗う足は祖父の挽く人力車の後に随いて走っていた幼少の頃より、働きつづけて来た足なのである。その足の美しさを、私は描きたいと思った。

自作案内という註文であるから、もう少し原作について説明すると、既にして人力車夫である彼女の祖父は、刺青の他あやんという異様な名前をもち、両親のない彼女にとっての唯一の愛情の鞭であるが、この鞭の唸りは空の南十字星に反響する。

この映画の場面はすべて大阪であるが、南十字星を観衆は大阪の空に見る筈である。そして、この星が大阪の空に出現することによって、観衆は大正のはじめに始まったこの物語が、既に昭和にはいっていることを悟る筈である。つまりは、この物語は大正五年より今日までの大阪の時代の動きをも描いているのである。私の手法からいって極く自然のことだが、ひとつには、主人公を時代と共に追究して行くことによって、時局的意義を見出そうとする意図からでもある。

なお、私の原作でいくらか他の作家のものと変った特徴があるとすれば、それは大阪の感覚、大阪の体臭ではなかろうかと、思っている。この点に於ては、私は私の原作が他の「大阪もの」映画に無かったものを出し得たのではないかと思っている。不遜だが、そう思っている。

事実また、これまで私の小説は大阪の感覚の発見に努力して来たようなものである。こんどの原作でもそれに全力を注いだ。溝口氏は大阪の感覚を描くことでは、比類なき演出家である。この点でも原作と映画との間に、ギャップなぞ出来よう筈がない。私は溝口氏の巨腕に安心して居ればよいのである。

（『映画之友』一九四二年九月）

# 東京文壇に与う

豪放かつ不逞な棋風と、不死身にしてかつあくまで不敵な面だましいを日頃もっていた神田八段であったが、こんどの名人位挑戦試合では、折柄大患後の衰弱はげしく、紙のように蒼白な顔色で、薬瓶を携えて盤にのぞむといった状態では、すでに勝負も決したといってもよく、果して無惨な敗北を喫した。試合中、盤の上で薄弱な咳をしていたということである。

この神田八段は大阪のピカ一棋師であるが、かつてしみじみ述懐して、——もし、自分が名人位挑戦者になれば、いや、挑戦者になりそうな形勢が見えれば、名人位を大阪にもって行かせるなと、全東京方棋師は協力し、全智を集注して自分に向って来るだろうと、言ったということである。私はこれをきき、そしていま、単身よく障碍を切り抜けて、折角名人位挑戦者になりながら、病身ゆえに惨敗した神田八段の胸中を想って、暗然とした。

　東京の大阪に対する反感はかくの如きものであるか。しかし、私はこれはあくまで将棋界のみのこととして考えたい。すくなくとも文壇ではこのようなことはあるまいと、考えたい。文学の世界で、このようなことが起るとは、想像も出来ないではないか。

けれど、たとえば、宮内寒弥氏はかつて、次のように書いて居られた。

「夫婦善哉は、何故か、評判がよくなかったが、大阪のああいう世界を描いた限り、私は傑作だと思った。唯、不幸にして描かれた男女の世界が、当代の風潮に反していたことと、それに、あの中の大阪的なものが、東京の評家の神経にふれて、その点が妙な反感となったのかも知れないと思う。これは、織田氏にとっては単なる不幸として片附け得ると思う。東京の評家というのは量見がせまいことになるが、東京の感情と大阪の感情の対立が、あの作品を中心として、無意識に争われなかったとは云い切れぬと思う。東京と大阪の感情は、永遠に氷炭相容れざるものと思う。だから、東京中心の今日の文学感情が、織田氏に反感を感じたことは、織田氏にとっては、それだけに大阪的であったということにもなるのであって、逆にいえば名誉である。おそらく、あの作品は大阪の読者にとっては、全々別な味がしたのではないか、と思われる。」

私の作品に好意的に触れておられる文章故、いささか気がさしながら引用したのであるが、要するに、これをもって見れば、すくなくとも、大阪的な作品は東京文壇の理解するところとならぬのではあるまいか。

どうせ、文学に対する考え方など、人生に対する考え方とおんなじで、十人十色であり誰の作品にしろ、作者が意気ごんで待ち構えているほどには、いいかえれば、作者が満足する程度に、理解されることなぞ、まかりまちがっても有り得ないのであるから、なにも大阪的な作品が東京文壇に理解されないといって、悲しむにも当らないのであるが、しかし、大阪に対するある種の感情が理解を阻んでいるとすれば、いや、そう言われてみれば、「単なる」にしても、とにかく一つの「不幸」として考えられないわけではない。

だからといって、私は姑に虐められた嫁のように、この不幸に打ち沈んでいるわけではさらにない。むしろサバサバしている。というのは、実は嫁の方ではじめから姑に愛想をつかしていたからである。姑はなんでもかんでも、自分の言う通りせよと言う。それをいやだと、言ったのである。

「そんなことを考えると、私は、織田氏の勇敢さを感ずる。織田氏程の人が、東京の感情に合うような細工が出来ない訳はないだろうし、そういう細工をすれば、というくらいのことを感じないわけはないと思うが、それにも拘らず、あの作品を書き送ったということは、東京文壇に対する一種の反逆と見られないことはないと思う。」

と、宮内氏も書いて居られる通りだ。東京の標準文化なぞ、御免だと、三年間、東京にいる間に、愛想をつかしたのである。東京の標準の感覚で見た標準人を標準語で描くような文学に愛想をつかしたのである。

東京に自分の青春なぞあると思ったのは、間ちがいだったと、私は東京の心理主義文化に歪められた自分の青春を抱いて、三勝半七（さんかつはんしち）のお園のように、「お気に入らぬと知りながら、未練な私が輪廻ゆえ、そい臥しは叶わずとも、お傍に居たいと辛抱して、是まで居たのがお身の仇」と呟いて、東京にさよならしたのである。反感をもたれても、致し方ない。

故郷の大阪へ帰った私は、しかしお園のように、

「去年の秋のわずらいに、いっそ死んでしまったなら」などと、女々しくならずに、いそいそと新しい大阪という夫のふところに抱かれた。既に、私は文五郎のあやつる三勝半七のサワリを見ていたのである。

そして、ここに、大阪の感覚があると思った。物事をいやに複雑化してやに下ったり、あ

の人間の、このおれの心理はどうだ、こうだ、お前の不安がりようが足りないなぞと言っていた東京の心理主義にわずらいされて、遂に何ごとをも信ずることを教えられなかった私は、大阪の感覚だけは、信じた。私はそこに私の青春の逆説的な表現を見つけたのである。すくなくとも、私は東京のもっている青春のいかものさ加減に、反抗したのである。

二十八歳で「夫婦善哉」を書くのはおかしいと言うが、しかし、それでは、東京に現在いかなる二十八歳の青春の文学があるというのか。すくなくとも私はそれを見せてもらえなかった。私の見たのは、青春のお化けである。よしんば、それが青春らしいものを、もだもだと表現しているにしても、二十代、三十代の者を唯一の読者とするような作品では、所詮はせせこましい天地に跼蹐(きょくせき)しているに過ぎない。もっとも、私とても五十歩百歩、二十八歳の青春を表現したとは言うまい。そんなことを言えば、嗤われる。ただ、私のしたことは、魂の故郷を失った文学に変な意義を見つけて、これこそ当代の文学なりと、同憂の士が集ってわいわい騒ぐことだけはまず避けたのである。

なるほど、私たちの年代の者が、故郷故郷となつかしがるのはいかにも年寄じみて見えるだろう。けれど、思想のお化けの数が新造語の数ほどあって、しかも、どれをも信じまいとする心理主義から来る不安を、深刻がることを、若き知識人の特権だと思っているような東京に三年も居れば、いい加減、故郷の感覚がなつかしくなって来る筈だ。なつかしくなれば、さっさと東京をはなれると良い。何も東京にいなければ、文学生活がやれぬわけでも、文学の志が達せられぬわけでもあるまい。私はそう思ったのだ。谷崎潤一郎氏も既に十年前にこのことを言っておられる。すなわち、「東京をおもう」というエッセイの最後の章がそれだ。

「……終りに臨んで、私は中央公論の読者諸君に申しあげたい。(中略)諸君は、小説家やジャーナリストの筆先に迷って徒らに帝都の美に憧れてはならない。われわれの国の固有の伝統と文明とは、東京よりも却って諸君の郷土に於て発見される。東京にあるものは、根柢の浅い外来の文化と、たかだか三百年来の江戸趣味の残滓に過ぎない。(中略)大体われわれの文学が軽佻で薄っぺらなのは一に東京を中心とし、東京以外に文壇なしと云う先入主から、あらゆる文学青年が東京に於ける一流の作家や文学雑誌の模倣を事とするからであって、その風潮を打破するには、真に日本の土から生れる地方の文学を起すより外はない。ついては、いつも思うのであるが、今日は同人雑誌の洪水時代で、毎月私の手元へも夥しい小冊子が寄贈される。(中略)扨(さて)それらの雑誌を見ると、殆んど大部分が東京の出版であり、熟(ど)れも此れも皆同じように東京人の感覚を以て物を見たり書いたりしている。彼等のうちにも多少の党派別があり、それぞれの主張があるのではあろうが、私なんぞから見ると、彼等は悉く東京のインテリゲンチャ臭味に統一されている。彼等の関心は、東京の文化と、東京を通じて輸入される外来思想とのみに存して、自分たちの故郷の天地山川や人情風俗は、眼中にないかの如くである。で、もしこれらの文学青年がああ云う勿体ないことをする暇があったら、東京へ出て互いに似たり寄ったりの党派を作ることを止め、故郷に於て同志を集め小さいながらも機関雑誌を発行して異色ある郷土文学を起したならば、どうであろうか。」

ひところ地方文学論がさかんであったが、十年前に書かれたこの文章にまさる地方文学論を、私はいまだかつて知らない。東京人でありながら、早くから東京に見切りをつけて、関西を第二の故郷としておられる谷崎氏の実感の前には、東京文壇の空虚な地方文学論なぞ東になっても、かなわぬのである。

故郷を捨てて東京に走り、その職業的有利さから東京に定住している作家、批評家が、両三日地方に出かけて、地方人に地方文学論に就て教えを垂れるという図は、ざらに見うけられたが、まず、色の黒い者に色の黒さを自覚させるために、わざわざ色白が狩り出されるようなもので、御苦労千万である。

（『現代文学』一九四二年一〇月）

# 雷の記

## （一）

この八月十日は西鶴の二百五十年忌にあたる。このことを人は忘れているが、二百五十年忌といえば、千載一遇とまではいかなくとも数字好み西鶴にならっていうと、人生五十年に一度の好機である。あと五十年生きねば、三百年忌に出会えないわけだ。

志賀直哉氏は「書かれた事柄は市井の下らないことで、西鶴はその通りに書いて全く別なものにしている。実に不思議な力だ。」と言い、西鶴を読むと其のひきしまるような幸福感を感じるという意味のことを書かれているが、われわれは大阪の先輩作家として西鶴をもっていることに、もうひとつの幸福感を感じてよい筈だ。なお、私自身はさらにひとつの幸福感をもっている。西鶴のことを想うと、不景気に夏痩せした顔に、いきなり生気が浮び上って来るのである。たとえば、田木繁は先月号の「大阪文学」雑記で、私のことを月に八百枚書いたといって嗤っているが、嗤われてきょろきょろそこら見廻すかわりに、住吉社頭一昼夜二万三千五百句の大矢数興行を簡単にやってのけた西鶴の旺んな気魄を想いだすと、決然として来るのである。

この大矢数興行は一般に莫迦々々しい沙汰とされているが私はここに作家の想念と表現の美しい持続を見ている。

持続を破るものは、田木繁のいうような「生活と文学との矛盾」であろう。田木はこの矛盾を一見ありがたがっているようであるが、しかし、作家の持続の美しさを彼は想うべきである。生活のなかから、文学は出て来ないのだ。

つまりは、夢想された作品というものはあり得ない。書かれざる傑作というものもないわけだ。生活、想念と原稿用紙の間には一般にいわゆる私小説家が思っている以上の距離がある。突っぱなして書くというような簡単な事柄ではない。作家の機能が持続する必要があるのである。懐疑と矛盾は作家にあっては、作品を書くことから出て来るのであって、それ以外にあると思うのは、文学のある種の観念というものに甘えている。作品を無視したいかなる文学の観念があろうか。

「如何なる着想も作品ではなく、如何なる夢想も作品ではないことをはっきり言っておこう。そここの機会にすべての藝術家に向って告げたい。単なる可能のうちから何れが最も美しかろうなどと捜しあぐむのは時間の浪費というものである。如何なる可能も美しくはなく、ただ現実のもののみが美しいのだから。先ず制作せよ、判断はそれからのことだ。これこそあらゆる藝術の第一條件である。」

アランは藝術とは女々しい、蒼白い仕事とは思わぬから、このように考える。いや、このように書くのだ。

嗤われた私の八百枚のうち、三百枚は二週間で書かれた「西鶴新論」である。人はもう少し時間をかけて、慎重に書くべきであったという。が、私は長い時間をかけたからといって、出来上った「西鶴新論」以上のものが、私に書けようとは思えない。いや、二週間で書いたところに、私は西鶴を西鶴的に書いた所以のものを見ようと自惚れている。

田木は「この十年間、私は一行の詩も小説も書かなかった。その代り三〇坪までの小さな家を建てた」と書いているが、このようなことは、公表すべきではない。一行の詩も小説も書かなかったことは、その代り家を建てたというような事実で支えられない。いいわけにならぬと思う。「その代り」という言葉は文学への冒涜である。田木は「大阪文学」の編輯同人であるから、この言をよんだ会員を誤らせる惧れがあると思い一言いって置く。

私は瀧井孝作氏が処女作「父」五十枚に一年掛ったといわれている言葉に、限りない畏敬を抱いているが、ここにいう一年間は「父」の完璧性で支えられている。このことと、以上述べたこととは区別して考えてほしい。なお、アルチュウル・ランボオなど、この際持ち出されては困る。

アルチュウル・ランボオとわざわざ言ったのは、先月号「大阪文学」の、田中良昭という会員の「主に創作の態度に就て」という一文に対して、磯田敏夫が「お前のような奴があるから、アルチュウル・ランボオは自殺したんだ。」と、編輯部気付の抗議文を送って来たからである。アルチュウル・ランボオときけばなつかしく、今どきこの詩人のことを言う人のいることは愉快であるが、しかしもともとランボオやドストエフスキイなどをまるで自分の友人扱いにして、口笛でも吹くようにその名を口にするのは、若き文学者のわるい癖である。

しかも、自分の作品をけなされて、「こんな奴がいるから、アルチュウル・ランボオは自殺したんだ。」というのは、不遜である。いや、軽々しい。田中良昭の磯田評は、磯田の良さを発見しようとせず、主としてその悪い部分ばかりを摘弁しているので、磯田には気の毒であるが、しかし、そうかといって磯田のように、「前途ある有為の新進の前途を危くするつもりか。」と柄わるく抗議するのは、甘えすぎている。それに自分のことを、「有為ある新進」と自らいうのは、おかしいと思う。抗議文をよんで、私はふきだした。

なお、磯田は田中良昭の文章は、私か誰かが匿名で書いた文章と思っているらしく、「匿名で人をけなすのは、卑劣だ堂々と本名で来い。いつでも相手になってやる。下手な謀略をするるな。」と書いて来たが、あれが私の書いたものでないことは、文章をよめばわかること、田中良昭とは本名である。田中のためにも一言いって置く。磯田は「生れてなんぼ小説よんだ?」と突っ掛っているが、ランボオをあんな読み方するくらいなら、読まぬ方がよい。田中はかなり丁寧に読む人のようである。因みに磯田の小説は、楽屋落ちの興味もあって、面白かった。が佛の顔も二度、三度ということもある。また、ラオスに因んだ羅越、カルカッタに因んだ軽方などという人名は面白い思いつきだが、この洒落は説明しなければ読者にわからない。作者の技倆の不足である。なお、褒めてくれた人のことをすぐ作品の中に書くのは、器用であるが見えすいている。それとも想像力の欠如であろう。好漢自重すべきである。

筑摩書房の「文楽」という近頃豪華な本を、読んだ。というより、見た。文楽の写真集である。巻末に文楽に関するエッセイがあつめられているが、結局まことしやかな文楽論よりも、榮三、文五郎の藝談がいちばん興味ふかかった。クローデルやハーゲマンの文楽論をのせているのは、折角の美しい写真集を汚すものである。私たちは文楽の良さを解するのに、何もクローデルやハーゲマンの助けを借りる必要はない。大阪の路地裏に住む婆さんに文楽を見せて、その感想をききこれを掲載する方が、どれだけ立派で、気が利いているか知れない。翻訳者は御苦労千万である。いや、余計なおせっかいと言いたい。

文楽を扱った小誌がぼつぼつ見うけられるが、いずれも浅薄である。長谷川幸延が書いている「古靫太夫（こうつぼだゆう）殺し」や「御霊文楽座」など、文楽を汚すものである。世界一の藝術を取扱うのであるから、余程慎重でありたい。通俗読物として書くのは、文楽に対する冒涜である。文楽を見た限で、そのような仕事は出来ない筈だ。

通俗読物のなかでは、藝術にふれてはならない。藝術の神のいかりがある筈である。その人が藝術家でなくとも……。

ジイドのモンテーニュ論のなかで、最も注目すべき言葉。

「総て大衆の喝采を博しているもので、聊か胡散臭いと私に思われぬものは何一つとしてない。」

私は思う。大衆の喝采を博している小説は総てリアリズムから遠くはなれている。元来、リアリズムというもは、大衆にとって不快であるから。だから、大衆の喝采を博しようと思う作家は、まずリアリスト失格に甘んずる勇気をもつ必要がある。その代り、金がはいる。金はリアリズムである。

憎まれ序でという言葉がある。この言葉はそれを吐く時ちょっとした快感があるという一事によって、存外利用価値が多い。

（二）――田木繁へ――

私はこれまで下積みの生活の底を這いまわる貧乏たらしい人間を、好んで書いて来たのは、その人たちのどん底のなかでなお生きんとして黙黙と営みつづける日日の営みの哀れさに、心惹かれたためであったが、なぜ、との心情で執拗にくりかえし書き続けて来たかということが、今はもうはっきりとした。

人は、たぶんヒューマニズムであろうというが、私はこんな符号を信用しない。

先月白崎礼三は思想の品物という面白い表現をつかったが、まず私はこの思想の品物いわば符号というものを本能的に毛嫌いし、不信し、軽蔑する。

たとえば、今月田木繁が無理論主義とか、技術主義とか、生活主義などという符号を使っていることをおかしく思う。そのような符号で文学が割り切れるものであれば、なんと文学は容易であろう。

私は技術主義などという便利な符号を振りまわした覚えはない。ただ、技術は尊重している。技術を軽蔑する人たちの作品の惨めなさまを承知しているから、尊重する。

「文章というものは、先ず形のない或る考えがあり、それを写す、上手にせよ、下手にせよ、ともかく、それを文字に現わすものだ、そういう考え方から逃れるのは、なかなか難しいものです。そのくらいの事は誰でも考えている。ただ文士というものは口が達者なだけだ、というのが世人普通の考え方であります。併し文学者が文章というものを大切にするという意味は、考える事と書く事との間に何の区別もないと信ずる、そういう意味なのであります。描く書くとは即ち描く考える事である。描く書けてはじめて描く考えてみた事がはっきりすると言っただけでは足らぬ。」

と、小林秀雄氏も言っている。アランもいう。

「大理石を呪う藝術家や、また辞書文法を呪う藝術家がある、彼等が再現しようと欲する偉大なものに比べて、それらが余りにも貧弱な手段であるかのように。こうしたことこそ想像力に固有な謬(あやま)りであって、小説家は藝術家をそんな風に想像する。しかし、真の藝術家はそうした大言壮語の中を長い間うろついてはいない。彼はむしろ技術を好み、そんなものには別れを告げる。硬き石に刻む者こそ幸なるかな。」

と。(傍点織田)

私は過去の同人雑誌が技術尊重に傾いたとは思えぬ。田木の眼からは、過去の、そして、今日の同人雑誌の作品の技術が完全なものと見えるのだろうか。

作品は下手糞だが、自分は今日の文壇の要望に応じて、強い思想性を盛ることだけはやっておりますなどという言い方は、成立しないのだ。文学者にとっては頭で考えた自己はない。形のある作品が自己である。作品の上では浅薄ですが、自分はもっとほかの深刻なことを考えているつもりです、どうも、言い足りなくて——なんて、いいわけは成り立たない。

「実人生について経験乏しく、藝術の鑑賞力の浅い批評家が、尤もらしい文学批評を捏上(こねあ)げるには、思想の有無を持出すのが一番楽であって、襤褸(ぼろ)を出さずに済む訳なのだ。」

とは正宗白鳥氏の言である。

ところが、この実生活の経験というものも、どれくらい藝術に役立つか、あやしいものだと私は思う。

田木は、生活のなかへ潜りこんで、その中から血のにじむ一行をとりだして来ることを彼の文学のねがいとしているというが、その覚悟やよし、しかし、僕らの希いはそれよりはるかに遠いところにある。

田木の言ったような意味からか、ひと頃素人文学というものが騒がれたが、これは日本の小説のジャンルに一つの新しいものをつけ加えたに過ぎず、それ自体はたいした文学とは私は思わない。田木の言っているのは、そのようなものであろうか。

血のにじむ一行というは容易だが、作者が血をにじませたつもりでも、作品の上ではちっともにじんでいないことが多い。覚悟だけではにじまぬのである。もっとも、にじませるものは技術だ、などと簡単に言い切るつもりは更にない。

田木は職人という言葉をつかったが、私にいわせると、職人とは観念で作品を規制するものの称いだ。家具師は机というものの観念で、机をつくっている。ちゃんと、自分のつくる机を規制している。それ故に、私は職人とは別れを告げる。

私が黙って書けというのは、観念で作品を規制するなということである。家具師はちゃんと過不足ない机をつくるが、小説家は応々にして、自己の宣言した理論とはるかに食いちがった作品をつくる。つまりは、理論だけは達者だが、作品は愚にもつかぬことになるような結果になることは、文学者にとっては、もっとも忌むべき態度ではないかと思うから、そう言ったのである。理論があって、そうして、作品がそれに規制されるような職人になるなと、言ったわけである。

過去にいわゆる理論ごのみの作家が多く、これらは皆自身が職人であることに気がつかなかった。いわゆる左翼の文学はそれであった。ほかにも、そういう人が多かった。

僕ら徒輩は、それらの結果を見ているから、文学の世界で下手に理論をふりまわさない。そして、「かくかくすればかくかく発展する」という理論の殻を、未だに身につけているひとびとに、欺かれまいとするのである。

私が黙黙と営みつづける日日の営みの哀れさに心惹かれて、それを書いて来たのは、つまりは理論の殻の助けを借らずに、人間に迫りたかったからである。いや、理論の殻に不信を示さざるを得なかった私たちの年代のものに共通の嘆きが、そうしたところへ私を追いやったのである。

私たちから歌を奪ったものは誰か。

（『大阪文学』一九四二年九・一〇月）

# 吉岡芳兼様へ

御たより拝見しました。

拙作を随分細かく読んで下すって、これでは作者たるものうっかり作品が書けぬという気がしました。もっとも、うっかり書いたというわけでもないのですが。

自作を語るのは好みませんが、一二お答えします。

まず「新潮」八月号の「聴雨」からですが、高木卓氏が終りが弱いといわれるのも、あなたが題が弱いといわれるのも、つまりは結びの一句が「坂田は急ににこにこした顔になった。そうして雨の音を聞いた。」となっていることをいわれたのであろうと思います。どういう雨かとのお問いですが、はて、どういう雨でしょう。この小説の冒頭に「雨戸を閉めに立つと、池の面がやや鳥肌立って、冬の雨であった。」と書いてあります。「私」は書斎で雨を聴き、坂田翁も雨を聴いたのです。「春雨じゃ濡れて行こう」などという雨ではありません。ただ、雨の音を聴いたのです。それだけです。冒頭の「私」が聴く雨と最後の坂田翁の聴く雨とを照応させて「聴雨」としたのです。因みに坂田翁が木村八段と対局した南禅寺の書斎には「聴雨」の二字を書いた額が掛っていたとのことです。

次にこの小説で「私」を出したのはどういう秘密かとのお問いですが、これはあくまで秘密として置きましょう。ただ、僕が「私」を出さずに、この小説を書いたらそれはどういう小説になったかを考えてみて下さい。僕には作風をかえる上からも「私」が必要だったのです。僕はこれまでスタイルの流露感に頼っていた傾きがありますが、その流れをとめるためにも「私」が必要だったのです。といって、僕は私小説を書いたのではありません。また、ただ坂田三吉を書いたのではありません。

この「私」の出し方と、「文藝」九月号の出し方は、すこしく違います。作中に「オダ」という人名が出て来ますが、これは読者が佐伯は作者であるなど思われると困りますので、「オダ」が出て来るのです。「私」も出て来るのです。

「聴雨」でもこの小説でも、作風は語り物の形式を離れて、分析的になっていることはお気づきのことと思いますが、もともと僕はそういう作風であるべきであったので、今そのスタイルをつくるためにせいぜい「私」を出しているわけです。佐伯＝作者の想念が「私」のために邪魔されたといっておられますが、計画的に邪魔をして行っているわけです。

次に、表現を色彩へ持って行くことが誇張だとは、どういうことでしょうか。「眼の前が真っ白になる。」と「青ざめた顔」はむしろ月並みです。しかし、僕は「赤い咳」という表現を生かすために白と青を持って来たのです。ここで「赤い」といったのは「恐怖」の表現です。この「赤」は佐伯の頭に喀血の色と見えるのです。

冒頭の一節、「古雑布」「古綿を千切る」「古障子」などの形容は勿論あなたのおっしゃるように視覚的ではありません。しかし、視覚的というのは絵と映画に任せて置きましょう。僕らは漬物のような色をした太陽を描いてもよいわけではありませんか。

友田恭助を出したのが巧を奏したとおっしゃいますが、あそこは僕としては一番気になるところです。失敗ではなかったかと思っています。但し、理髪店から「友田……」の声がきこえて来るところ、あそこがこの小説の眼目です。この友田は「聴雨」の坂田と同じ重要性をもっているのです。友田も坂田も青春なき「私」のある時代に映じたある青春の象徴です。

それで理髪店の「友田……」という声がきこえて来るわけです。しかし、あそこの真実感がないとおっしゃる。作者の技倆の不足と思っています。

どうも自作をさりげなく当り前な顔をして語るのはむつかしいです。作品が自ら語ってくれるとやに下っている方が無難でしょう。

作中の「私」一つの問題でも、たとえば「聴雨」の続篇を「若草」の十月号に書きましたが、この中の「私」はもう前二作の「私」ではない、僕もいろいろに思案もし、迷ってもいるのです。自作を語るどころの騒ぎではないようです。

以上御返事まで。

（『大阪文学』一九四三年一〇月）

吉岡芳兼様へ

# 一流の鑑賞

小林秀雄氏がかつて「質屋の主人が小僧の鑑賞教育に、まず一流品ばかりを毎日見せることから始めるのを法とする、ということを何かでよんだが、いいものばかり見慣れていると悪いものがすぐ見える、この逆は困難だ、おもうに私たちの眼の天性である、この天性を文学鑑賞上にも出来るだけ利用しないのは愚だと考える」と書いていたが至言である。

単に文学鑑賞の上だけでなく、日常己の行為を反省する上にも、利用されていいと思う、二流以下のくだらぬ周囲を見まわしていては折角の反省もやっと二流に到達出来るだけの効果しかもたらさない。

時に自分を天才だと思うことは良いことである。何故なら、天才と思えば、それだけの（天才にふさわしいだけの）努力をしなければならぬからだ。

（「大阪新聞」一九四四年六月一三日）

# 映画と文学

「栖鳳閑話」に「嘘の配剤を知らない藝術には輝きがない。」という文章がある。さすがは栖鳳だと感心したが、しかし敢て栖鳳のみといわず、この種の言葉は大抵の藝術の練達の口から吐かれている筈だ。

ここで言う嘘とは、たとえばメロドラマに於ける立聴き、偶然の出会い、拾った手紙、性格を無視した人物の行動などという苦しまぎれの（いわばメロドラマをよりメロドラマチックにするための）手段を指して言うのではない。嘘が即ち表現——そういう意味での嘘を言うのである。

いったいに映画の武器は写実の力にあると盲信されている。たしかに映画が多くの人々を惹きつけている魅力とは、その写実の力にあるようだ。実写映画の迫力があれほど持て囃されている所以だ。観客は事物が正確にありのままに写されていることを他愛もなく喜んでいるのである。それ故に、良心的な映画作家はリアリズムを追究することによって、自己の藝術的意欲を満足させて来た。シナリオ作家も自然主義小説のような些末主義的描写をものすることに、作家的情熱を傾けた。しかし、如何に襖の開け方に凝ってみても、帽子の行列を写してみても、小市民の心理の細かいニュアンスを覗ってみても、結局それは徳田秋聲の一行にも及ばなかった。如何に映画の武器である写実力を駆使してみても、遂にそれは糞リアリズムに終り、わが自然主義作家の肉眼がさりげなく捉えた一行の写実精神の前に屈服してしまったのだ。文学を追いかけまわした映画の喜劇とでも言うべきであろう。文藝映画にろくなものがなかった所以である。

これは何も映画作家の写実精神が小説家の写実精神に劣っていたというような簡単な解釈で割り切れる事情ではない。いうならば映画作家が写実の武器を盲信した罪ではなかろうか。事物を正確に写すというが、しかし例えば実物大の数倍の大きさの人間の顔のクローズアップが、果して正確な描写であろうか。ラムネの玉のような大粒の汗のアップが「汗が流れた」という一行以上の如何なる正確な表現であり得ようか。クローズアップといいロングといい、表現としては嘘だ。

しかし、この嘘が魅力なのである。この魅力を抱きながら何故写実文学の渋さを追い駆けまわすのか。若き藝術である映画は老いたる文学の真似をすることによって、自らの青春の魅力を失うような愚は避けるべきではなかろうか。映画が文学に近づこうとしても、それは多角形が円に近づこうとするようなもので、多角形の辺を無数に増せば円に近づけるかも知れぬが、それは幾何学の夢に過ぎない。円い卵も切り様で四角という所謂文藝映画も、切り端しが残るのでは困るではないか。むしろ映画が文学から学ぶべきは、人物の性格の描き方くらいのものであろう。すくなくとも一流の文学には、俳優にあてはめたような類型は一つもない。その意味で、シナリオ作家は配役難で困るような人物を映画に登場さすべきである。あとは、文学に学ばずとも（文学を勉強する必要なしという意味ではない）もっと映画の嘘の効用に意を用いるべきである。

私事を言えば、私はシナリオを書く時、自分の文学を映画に生かそうとは思わなかった。むしろ、自分が小説で表現出来なかったことを、映画で表現しようと努力したのである。たとえば小説では一応躊躇されるような偶然や、小説では何の効果ももたらし得ないような、というより表現の方法のあり得ないような人物や場面を表現してみた。

例をあげていえば、『四つの都』（これは封切の際いつの間にか『還つて来た男』になっていたが）で、ある新聞記者が登場すると必ず突如として雨が降り出したり、踏切で汽車が行ってしまうと、忽然としてそこにいた人間が消えていたり、あるそそっかしい男が奈良の大仏を見たあと、ほかの事物が急に小さくなってしまったり、――これらは演出者が人物の方に重点を向けてリアルに撮り過ぎたので、効果は薄かったが――すくなくとも小説では表現出来ぬことである。だからといって、私はこういう方法（嘘の表現）がすべて映画的な表現のすべてであるとは言わぬが、しかし、すくなくとも私は小説家としての私を映画に押しつけようとはしなかった。小説を書くつもりでシナリオを書くのであれば、私ははじめからシナリオなど書こうとはしなかったであろう。

『四つの都』のシナリオを読んだ人から、何故雨が降るのか、何故大仏を見てからものが小さく見えるのか、何故踏切で人間が消えてしまうのかという質問を受けてうんざりし、そのたび私は沈黙を守って来たが、以上はその返答である。

今日の映画が非常につまらないという定評を耳にするが、このつまらなさは藝術的にのみではなく、例えば生産面に働く人達が、今日の映画から慰安激励を受けるどころか、かえって逆効果的な不愉快さを感じているという点で、国策的にも由々しい問題であるが、その一つの原因として、私は今日の映画が余りにもっともらしい表情にのみとらわれて、映画のもつ本来の夢を忘れている点を指摘したいと思う。たとえば所謂増産映画が従来のような作劇術にとらわれて、下手に正面切った新聞の見出し活字のような趣きで撮られている以上、増産推進力としての娯楽的価値は遂に浪花節に負けてしまい、また教化的価値としても季節外れのものになってしまう惧れがあろう。

映画の作劇術にも新しい創意が生かされねばならない所以である。そしてそのために映画が文学作家の協力をもとめる場合、作家は自己の文学の夢よりもまず自己の抱いている、映画の夢を生かそうとしなければ、その協力は単なるストーリー提供に終ってしまうであろう。それでは従来と何等選ぶところがない。

（『映画評論』一九四四年九月）

# 面上の唾

今日文学は果して時宜に適しているか否やなどと、うろたえたくはない。文学の効用に就て苦しまぎれの弁解を述べてみるような卑屈にも陥りたくない。それらの論議はいわゆる文学の同伴者に任せて置こう。

文学は男子一生の仕事である。これで充分である。迷いもしない。何を好んで迷うことがあろうか。迷いはただ個々の作品のみにあるだけだ。これでいいだろうかと。しかし、文学自体をこれでいいだろうかとの迷いはあり得ない。作品は定着して迷いを露出するが文学自体は融通無碍である。

今日の作品に就ていえば、ロマンが喪失されている。最もロマンに富むべき戦記小説ですら、私小説に変貌してしまっている。戦争を私の眼でしか捉えないというこの現象は、作家の誠実の故か、力量の不足か、ロマンの喪失か。

私の感想でしか書けず、私の生活体験をしか書けず、私を離れたすべてを絵空事としてしまう所謂私小説の流行は、たしかに現代に生きる作家の胸の嘆きを物語っている。それだけ、作家は自分に誠実になって来たといえよう。あるいは、もはや私小説の形式でしか何ごとも表現出来ぬ時代であるともいえよう。が、私小説がもてはやされている現象は文学の健全な姿ではあるまい。胸の嘆きは健全ではあるまい。時に卑屈である。自信の無さだ。

ロマンの喪失は、現代に作家として生きて行くことの自信の喪失であろう。ロマンを復活し得ない今日の作家はだから醜態である。古今の天才はロマンを以て私を語ったのである。

文学の霜枯れは発表機関の減少によるよりも、その第一の理由はロマンの喪失である。敢てロマンといわぬまでも、最近の作品に一人の魅力ある人物像も創造されなかったことは、誰よりも読者が知っていよう。さて、第二の理由は、青春の喪失である。早い話が、その作家の出現が即ちその作家の青春であると思わせるような一人の新人も出現していない。今日、二十代の青年の示した数々の見事な青春が僕らの眼を奪っているのに、文学の上では、如何なる二十代の新人が僕らの眼を瞠らしているか。二十代の者の思想、表現こそ既成に似ぬ鬼子である筈だのに。

以上僕は作家の一人として文壇の渦中から言っているのである。高見の見物をしているのではない。僕の吐いた唾は既に僕の面上に落ちて来ている。拭うその手があれば、僕自身の尻に鞭を当てて走りたいのである。馬場の条件は悪くとも、元来が苦にする性ではない。男子一生の仕事である。卑屈になるまい。

（『新文学』一九四五年一月）

# 世相と文学

## ―時代に遅れた作家のリアリズム―

### （上）

終戦と共に永井荷風、谷崎潤一郎の名が文壇に浮び上って来たのは、けだし当然のことであり、寔（まこと）に国亡びて文運栄えるの観がある。

荷風の最近の諸作（「踊子」「浮沈」「勲章」等）や潤一郎の「細雪」を読むと、この二大老大家の筆は老いて益々円熟してまさに菊五郎の踊りを想わしめ、日本文学の伝統未だ衰えずと歓喜に堪えないが、しかしまた想えばこれらの諸作と今日の時代感覚とのズレは如何ともしがたく、藝術の滋味に酔いながらふと白々しくチグハグな感も抱かれるのである。ましてや末輩の群小作家の近作など、折角執筆の自由を与えられながら、従前以上の力量を発揮し得るに至らず、十年一日の如き微温的な作風で、作家は皆今日の世相に嗤われているのではないか――という気もする。

世相はいよいよ深刻であり、また世相の中に含まれているリアリズムは、現代の文学のリアリズムをはるかに超えているくらい生々しい。作家のリアリズムは世相に負けているのである。

しかもこの世相を描き尽せぬようでは、もはや今日の作家とはいえない。思えば今日ほど作家がその才能を試されている時代はないと言ってよかろう。西鶴の如きたくましい描写力と観察力を持った作家が今日に生きておれば現代の世相を描いて興味ある「世間胸算用」を書くであろうが、今日の作家はいたずらに過去の夢を追うて書きにくい世相の方は新聞に任せているようである。

今日の雑誌に発表される小説を読むよりは日々の新聞を読んでいる方が、興味深々たりと感ずるのは私一人ではあるまい。世相を描いた新聞を読みながら、軽佻浮薄な昔の流行歌の放送を聴いていると、もうこれ以上チグハグな気持というものはまたとあるまいと思われるのだが、新聞のあとで最近の小説を読んでみた気持も大してそれと違わないような気がする。報道班員作家が今ごろ手のひらをかえしたように、かつて鰯の頭のように信心していたものを、鰯の尻尾のように取扱っている作品もまことに今日らしい作品でありながら、ふと時代おくれの感がするのは、彼等の節操云々よりも彼等の文学観やスタイルが十年一日の如きものであるからだ。

「新しい時代には新しい文学」とは永遠にいわれる言葉であるが、今日文学は依然として古いのである。混乱した時代には文学もまた混乱するのが当然だが、今日の諸作は些かの混乱も呈していない。うっとりとして老大家の藝によだれを流しているばかりである。見渡したところ浮浪者の死んで行く表情一つ描けないような情けない描写力の作家ばかりが、作品の題のみかつてのカフェーの広告文句のような煽情的な題や漫画の表題のような警句的な題をつけるだけで反動期の軽佻浮薄な時代感覚に迎合しているのである。しかもそのような作家はかつては公然と軍国主義に迎合し、あるいはコソコソと増産文学の増産にはげんで、文壇の戦時利得者であったが、今また敗戦成金になりつつある。便乗は敗戦後の文壇にも続いているのである。

（下）

軽佻浮薄な風潮も世相の一面であり、また戦争のネオンサイン情緒の回顧もまた世相の一面だとしてみれば、ありし日の昔の夢を追う風俗小説もたしかに今日の小説にはちがいないとはいうものの、

「……寒空にひもじさこらえ、あだに散るはらから悲し、ありし日のわが家はいづこ、ああ愚かなるいくさの苦役、憤激する我等全国戦災者……」

という「戦災者の歌」の中にある「ありし日」の一句の方がひしひしと身に迫るのである。「ありし日」の詩を書くのもよいが、この「戦災者の歌」の持っている時代感覚とのズレを克服しなければ、ただ単に戦前の風俗小説が復活しただけにすぎず、いわば作家は昭和六年から昭和二十一年までの十五年間の間に一歩も進歩していなかったことになるのである。昔の小説の巧さをそのまま今日復活してみたところで、何になるものか。文学は食物と違うのである。

しかし世相を描くといっても、もはや在来の日本文学の伝統的スタイルでは、もはや新しい文学のスタイルとはいえない。本紙に連載されている武田麟太郎氏の小説は従来の婦女子

相手の新聞小説の型を破った地味な作風だが、しかし昔の新聞小説よりも却って面白いのは、世相の一面が描かれているからであり、武田氏の作家的意欲の逞しさに敬服されるとはいうものの、しかしこの小説のスタイルもまた明日の文学のスタイルではない。

新しい雑誌が雨後の筍のように輩出して、文運いよいよ隆盛の観がある。しかし今日の文藝雑誌の中で最も立派だと思われる「人間」（鎌倉文庫）の創刊号の小説を宇野浩二氏は「里見も川崎も島木も全部廿点以下、林芙美子の小説に至っては零点に近い」と最近の私への私信で酷評されたが、私も同感である。横光利一氏の「改造」の小説も日頃野心的なこの作家に似合わず、その淡い味が余りに食い足りない。「世界」の志賀直哉氏の小説「灰色の月」も鮮かに世相の一端を描いたというものの、傑作とは称しがたい。

今や極点に達している世相のリアリズムは終戦後一つの傑作も生れぬ文壇をあざ笑っているように思われてならない。

（「夕刊新大阪」一九四六年二月一八・一九日）

# 坂田三吉のこと

坂田三吉は泉州堺の人である。

堺からは異色ある変り種が随分出ている。例えば千利休、納屋助左衛門、与謝野晶子、村上浪六、曽我家五郎……何れも風変っているが、坂田三吉はこれらの人々よりもはるかに横紙破りで、天才肌で、いわゆる奇人である。

大阪には昔から奇人が多かったが、近頃は何もかも世智辛く、利巧にちゃっかりしていて、いやに合理的で、羽目を外した異色ある人物が殆どいない。

坂田三吉は大阪がうんだ最後の奇人であろう。将棋界にはそれぞれ一癖ある変り種が多いが、しかし坂田三吉ほど人物、性行、棋風共に型破りの将棋指しはもう出ないだろう。

坂田は無学文盲で棋譜も読めずこれといって師匠もなかったが、将棋にかけては天稟の鬼才があり、我流の棋風をあみ出して、天衣無縫の型破りの「坂田将棋」は一時東京の棋界をふるえ上らせ、晩年に至るまで棋界の惑星であり、坂田の対局はつねに問題を惹き起した。

ことに問題となったのは、昭和十二年、木村名人（当時八段）と花田八段の二代花形棋士を相手にした二つの対局である。これは坂田対東京方棋士の鼎の軽重を問う昭和の大棋戦で、十六年間対局から遠ざかっていた坂田にとっては坂田将棋の真価を世に問う一世一代の対局であったが、坂田はこの大事な将棋の第一手に、二局とも古今未曾有の型破りの奇手——即ち端の歩を突くという意表外に出て、棋界をあっといわせた。この奇手はいわば坂田の最後の青春ともいうべきもので、普通なら一世一代の大事な将棋だから石橋を敲いて渡る式の堅実な指し方をする筈だのに、敢て定跡破りの乱暴な、不合理な手を以て合理的な近代将棋の代表選手である木村、花田と戦ったという点に、坂田という人の宿命的な天邪鬼があった。

そして、結局はこの奇手——というより、このような奇手を以てしても木村や花田に楽に勝てるという底抜けの自信がわざわいして二局とも無残な敗北を喫するという悲劇的結果になった。が、この悲劇が坂田の場合、少しも暗い翳はなく、何か喜劇のように見えたのも、恐らく坂田という人の持っている大阪人特有の楽天性と茶目ッ気のせいだろう。僕はこの対局のことをかつて「聴雨」という説の中で書いて置いた。

坂田の名文句として伝わる言葉に「銀が泣いている。」という一句がある。悪い所へ打たれた銀が進むに進めず、引くに引かれず、ああ悪い手を打たれたと、坂田の心になって泣いているという意味だ。

坂田は死んだ。

坂田の将棋もやがて忘れられるだろう。が「銀が泣いている。」という坂田のこの一句——無学文盲の坂田の口から出たこのあまりにも文学的な表現だけは、永久に後世に残るだろう。しかもこの一句ほど坂田という人を象徴している表現はないと、僕は思う。享年七十七ということである。

（七月二十六日、対月形龍之介氏ロータリー将棋の対局場京都鴨涯荘において、坂田三吉の訃を聴いて誌す）

（「大阪日日新聞」一九四六年七月二八日）

# 肉声の文章

上

「世界文学」七月号は世界女流作家創作特輯号で、マンスフィールド、コレット以下この国の中里恒子まで入れて、七つの女流作家の作品を輯めたところは盛観だが、同じ号に載っている小林秀雄を囲む座談会を読むと、やはり文学は男のものだという気がする。小林秀雄の前身これ文学、いや全身これ小林秀雄という感じの言葉にくらべると、中里恒子の少女小説まがいの作品など、文学的には寝言にひとしい。

司会者が、これから外国文学を採り入れる必要は大いにあるが、どういうものをどんな風に採り入れたらいいか、何かヒントを与えてくれと、小林秀雄にきくと、小林は
「そういうことはよく判らない。そういう様な考え方自体が間違いだと思うのですね。もっと日本には知的混乱が来た方がいいでしょう。銘々の人が己れの好むものを徹底的に読んで、本当に影響を受ける人が方々に現れて、銘々が頑固にそれを主張するという厄介な状態が来るということが知識を前進させる第一歩なんだよ。日本はこんな風になったから、こんなものが必要だ、という風には運ぶまい。外国から食糧が来れば、飢餓は助かるかも知れぬが、何主義が来たって、こんな精神の混乱と飢えは助かりはしない」

と、答えている。

これは例の小林一流の逆説だ。しかし、小林はこの逆説で逃げているわけでもあるまい。小林の言葉のうらには、もっともらしい顔で、もっともらしい意見を述べている連中の、愚劣さ加減にうんざりしている苛立ちが含まれている。

いつの時代でもそうだが、ことに最近は猫も杓子も、もっともらしい顔で、もっともらしい意見を述べるという現象が氾濫しており、しかも、そのもっともらしい意見が、誰がいってもこうだ、というような、判り切った、最大公約的結論に達しているが、べつにこの現象

は愚劣でも何でも無いかも知れない。が、これを愚劣だとにがにがしく思う精神が文学なのだ。文学者は猫でもなければ杓子でもない。

誰もかれも肉声でものをいわなくなり、社会の約束に応じて取引されるうちに、石ころのようになってしまったコチコチの言葉で、ものを言い、ものを書くようになったが、文学の言葉とは、つねにそれを吐く人の宿命が、ひそめられていなければ、もうそれは寝言みたいなものだ。

小林秀雄の座談会を読んで、私は久し振りに肉声をきいたという気がした。今月はもうこの座談会以外何を読む気もしない。数十の雑誌をペラペラとめくって、もっともらしい意見を御丁寧に読むには、昨今暑すぎる。

## 下

この一年、猫も杓子も荷風の作品に飛びついたが、しかし、僕は荷風の小説に飛びつくより、荷風の「戦災日録」（新生）をすくい上げたいと思う。猫になるより、杓子になる方が気が利いているというわけではない。猫も杓子も変りはない。

しかし、どうせ猫か杓子になって、荷風に感心するなら、僕は杓子になって、小説よりも

「戦災日録」の方に感心したいのだ。

この日録、老大家が市民と同じように空襲中、惨憺たる苦悩をしたさまが如実に描かれており、ああ荷風もまた……と、涙なしには読めないが、しかし、襟を正して読んだなどというひとびとの感激は結局はこの国に根強くはびこっている悲劇趣味、センチメンタリズム、俳句の写実と、短歌の抒情以外に一歩も出ないこの国の文学観のあらわれだ。

あの空襲中、よくもこれだけ丹念に、文章を崩さず、日誌を書きつづけたものだ――という感心の仕方、さすがは「雀百まで踊わすれず」だという敬服の仕方も、無論一応もっともだが、しかし「戦災日録」の価値を決するのは、「戦災日録」が文学として優れているかどうかの一点にかかる。そして「戦災日録」は文学作品として優れているのである。その文章の格調、反俗精神、作家としての眼の据え方の故に優れているのである。荷風の、いやこの国全体の人人の苦難の中で、書かれたために、優れているのではない。

例えばジイドの「架空のインタヴュー」（伊吹武彦訳）の中で、ジイドもまた食糧に苦しみ「吸殻を集めて一本の煙草に巻き直しながら」架空の記者に淡々として文学を語っているのを見て、僕らは感激するのだが、しかし、「架空のインタヴュー」の価値はそんな点にはない。現存の詩人は二百人だが自分は「二百一人目への期待」に祈りを捧げているというジイドの若々しい精神にもない。「架空のインタヴュー」の優れているのは、ジイドの言葉が一字一句彼の文学的生涯に裏づけられた含みのある肉声であるという点にかかっており、この伊吹武彦教授の名訳になる訳書が、凡百の文学書に優っている所以もまたそこにある。肉声で書かれた文章がすくなすぎるのだ。

（「都新聞」一九四六年七月三一日）

# 西鶴の眼と手

最近数年間、西鶴の作品は殆んど闇に葬られていた。いうまでもなく、西鶴の作品の持っているエロチシズムと、リベラリズムが検閲当局に忌避されたのである。

昭和十七年の八月十日は西鶴の二百五十年忌に当っていたが、ジャーナリズムは西鶴忌について一行の文章も取り上げなかった。平田篤胤や世阿弥を祭り上げた文学報国会も、西鶴という世界的な小説家の二百五十年忌を黙殺してしまった。国文学者もわざと西鶴忌を忘れた顔をした。昭和十七年の八月十日が西鶴歿してより二百五十年に当るということを、世間に向って言ったのは、一介の浅学の小説家である私ひとりであった。誰もかれも西鶴について言を成すことを、憚っていたのだ。腰抜けのジャーナリズム、恩知らず（西鶴は日本の小説界の恩人なのだ）の文壇、呆れはてた国文学者共であった。

ところが、今や西鶴の作品が世の明るみに出て、しかも状字なしの復刻が行われるという。多少の感慨なきを得ない。西鶴の復刻本としては明治年間の帝国文庫中の上下二巻が有名であるが、この復刻本はかなり伏字の多いものでありながら、当時発売禁止処分を受けたことを思えば、今、全く伏字なしの完本が容易に手にはいるようになったとはまるで夢のようである。世の中も変れば変るものだ。

西鶴のよき理解者である正宗白鳥氏は、はじめて伏字なしの好色一代女を読んで、西鶴はこれだ、伏字のある西鶴本を読んでも西鶴は判らないという意味のことを言っておられたが、たしかに西鶴の好色物などは、完本を読まなくては、その神髄は判らないと思う。

東西古今、性慾を描き、閨房のひめごとを描いた作品は少くないが、しかし、西鶴の好色物（たとえば一代男、一代女、五人女）ほど撤底して、しかも簡潔に描写した文学は珍らしい。いわば東西古今、唯一無二の好色物作家である。凄い作家が日本にもいたものである。西鶴はよくモーパッサンと比較されるが、モーパッサンがあれほど世界に広く読まれるのなら、西鶴はもっともっと読まれていいのではないか。西鶴の短篇技術の巧さや、徹底したりアリズムや、簡潔無比の筆致は、モーパッサン以上である。

菊池寛氏がたしか「人間」の創刊号で、西鶴は自由主義者だと言っておられたが、同感である。西鶴ほどいかなる思想、観念にもとらわれずに、のびのびと人生を眺めた作家は稀である。西鶴の時代には貴族、作家、僧侶等特権階級の中世的な思想が根強くはびこっていたが、西鶴は当時の自由人たる町人階級の作家として、中世思想に反抗した。近世文学は西鶴よりはじまるのである。そしてまた、西鶴はいかなる思想観念にもとらわれずに、ありのままに人生を眺めたから、日本文学のリアリズムは、西鶴よりはじまると言ってもいい。しかも西鶴以上のリアリストは未だ日本に現れていない。

たしかに西鶴は徹底したリアリストである。彼は現実のヴェールを引きさいて、露骨なまでに突っ込んで描写した。しかし、だからといって、西鶴を単なるリアリストだと思っては間違いである。

なるほど西鶴はリアリストの眼を持っていた。しかし、西鶴の書く手はリアリストの手ではなかった。この西鍋の眼と手との食いちがいを、リアリスト西鶴の矛盾という風に解する人があるが、しかし私は西鶴の妙味は、眼はリアリストであり、手はリアリストでないという虚々実々の兼合の面白さにあると思う。そしてこの面白さは井原西鶴という一人の作家の中に小説家西鶴、俳諧人西鶴の二人が棲んでいることから来る面白さではなかろうか。虚々実々の兼合、即かず離れずの姿勢、それを忘れて、西鶴を単にリアリズム文学論の垣の中から眺めていては、もはや埒はあかないのだ。

西鶴については、言いたいことは山ほどある。奇特な読者は昭和十七年の拙著「西鶴新論」を読んで下されば、大体私の言いたいことは判って貰えると思うが、しかし「西鶴新論」の中で私が一番言いたかったことは結局「西鶴はリアリストの眼を持っていたが、書く手はリアリストのそれではなかった」という右の数行に尽きている。

一時古典が流行して、猫も杓子も万葉集古事記を読んだ。今、その反動として古典熱は急に冷めてしまったが、しかし西鶴熱だけはかえって高まって来た。私はこの現象を日本の文学のために非常に喜んでいる。なぜなら、例えば今日世相を描くべく、日本の作家に最も欠けているのは、西鶴の逞しさである。西鶴をもう一度勉強し直さなくては、今日の日本の文学はますます貧弱に痩せ衰えて行くばかりであろう。もっとも、私は西鶴だけを言っているわけではない。私の言っているのは、まず何よりも西鶴をという意味である。西鶴ファンの私がこう言うのは、果して我田引水だろうか。
最後に一言、ことしの八月十日には焼けてしまった西鶴の墓を修理して、西鶴二百五十四年忌を盛大に営みたいものである。

（『りべらる』一九四六年八月）

# ジュリアン・ソレル

アンリ・ベエル（これが本名だ）という最も異色ある人物、その百七十一個の変名のうち最も代表的なスタンダールという筆名の作家、その作品のうち最も知られている「赤と黒」という小説、その小説の中で最も重要なジュリアン・ソレルという主人公——誇張ぎらいのスタンダールなら眉をひそめる「最も」という形容詞を、つづけて四つも使いたくなるくらいだから、かつて多くの人が以上の四つに就てそれぞれ語ったのも、当然であろう。

バルザックが書いた。テエヌが書いた。メリメが書いた。ポール・アザールが書いた。シュテファン・ツヴァイクが書いた。ヴァレリーすらいやみまじりに書いた。ジイドは「アルマンス」などという堀出物だけに感心していたわけではなかろう。勉強家のチボーデはむろん見逃さなかった。アランは一再ならず書いた。この国では、桑原武夫が大童(おおわらわ)だ。深田久彌は種本にしているくらいだ。考証癖の読者のためにいうならば、鷗外は「小説はスタンダールのように気ままに」と書き、荷風も「小説作法」で「スタンダールについて学ぶべし」というようなことを言っており、はるか下っては、大岡昇平、小林正、杉山英樹、大井廣介にいたるまで、書いている。いや、驚くべきことには、スタンダール自身が変名で「赤と黒」の新刊批評をやっているのだ。

更に私が書く必要があろうか。もっとも「スタンダールについては語りつくされるということがない。これが彼に捧げる最上の讃辞だ。」というヴァレリーの便利な言葉を、ここで引用して置くと、私が書く理由も一応なりたつが、しかし私がスタンダールについて書くということは、スタンダールを読むということだ。ヴァレリーにならって、「スタンダールについては読み捨てるということがない。これが彼に捧げる最上の讃辞だ。」スタンダールを読むことを多忙以外の何物が邪魔するだろうか。しかも、スタンダールは、多忙な時間を割いてもいい作家だ。スタンダールは、好きになるか、嫌いになるか、二者選一を強いる作家だ。多忙の故に恋人と会わぬのは、惚れていないのだ。恋人——と書いて、私はかつてこの二字を「玄人」と誤植されたおぼえがある。私はスタンダールを恋人のように読む。玄人の眼では読まない。私はまだ玄人ではない。むしろ、素人が小説を読む時のさまざまな喜びを、スタンダールから味いたいのだ。

――などと、書いて来たが、言葉の綾、文章の綾で書かれた文章というものは、もっともらしいことを語っているようで、何となく含みがありそうだが、実は何一つ適確に語っていないのだ。だらしがない。

さすがにスタンダールの文章には、私の文章の如き曖昧さがない。いい古されたことだが、スタンダールにあって最も明確なのは、彼の文章が明確だという一事だ。曖昧、不明確、朦朧を、彼は毛嫌いする。彼は情熱という曖昧な得体の知れぬものを、明確に捉もうとしたのだ。これが彼の仕事だ。だから、文章は明確で、作中人物も明確だ。

人生は不可解で、人間は曖昧だ。割り切れない。複雑だ。微妙だ。小説を読めば、読んだ数だけの人生が曖昧模糊として在るような気がする。割り切れるのは通俗小説、単純なのは子供の作文か、子供の作文を模倣した心境小説、身辺雑記。少し仔細に、稍深く観察すれば、どこから手をつけていいか判らぬくらい、人生は複雑微妙、不可解なヴェールに包まれている。阿呆でない限り、人間とは判らぬものだと、溜息をつかざるを得ない。私たちが日夜経験している通りだ。

ところが、スタンダールの作品にあっては、何もかも明確、単純だ。なぜなら、スタンダールは人生にただ一つの色しか見ない。そして、その色しか書かない。赤か黒か——軍服か僧服か。いや、そんな職業的色ではない。スタンダールが人生に見たただ一つの色は、情熱。個人の情熱。ただこれだけだ。そして、彼はつねに二種類の人間しか書かない。いや、スタンダールは人間を二種類にしか分類しない。即ち、精神的貴族と、精神的賤民。彼は精神的賤民を諷刺しつつ、精神的貴族の情熱の歴史を、彼自身の可能性として書くのだ。彼の小説の主人公は彼の情熱の可能性にほかならない。たとえば、ジュリアン・ソレルがそうだ。

ジュリアン・ソレルとは何か。

「ヴェリエールの木挽商人の息子。記憶力がよくラテン語が出来るので、町長のレナール家へ家庭教師として住み込むが、美貌ゆえ、レナール夫人に見染められたと判ると、この夫人を誘惑し、発覚して、ヴェリエールを追われ、神学校にはいる。やがて巴里へ出てラモール侯爵家の秘書になり、令嬢のマチルドを誘惑する。その時、信仰に凝り固まってしまったレナール夫人が、坊主にそそのかされて書いたジュリアン・ソレル誹謗の手紙が、侯爵のもとへ届く。侯爵からこの手紙を見せられたジュリアンは逆上の余り、レナール夫人を射殺せんとして未遂に終り、自らは死刑を宣告されて、断頭台に立つ。そして死ぬ。」

以上がジュリアンの外面的生涯のあらましだ。芳しくない生涯である。町長夫人と侯爵令嬢と、都合女が二人出来て羨しいなどという軽佻浅薄な人種を除いて考えれば、誰が考えてみても、芳しくない。まず、模倣すべき人物ではなさそうだ。

ソレリアンという言葉があるくらいだから、多くの模倣者が輩出したらしい。スタンダールの小説は人生について考えさせられる小説というよりも、むしろ、読者を激励する小説だ。といって、何も読者と共に泣き、読者と共に懐しんでくれる所謂人類愛の小説ではない。スタンダールはいや応なしに、読者を自分の世界へ連れ込む。が、連れ込まれて、はいると、主人のスタンダールは横を向いている。突っ放すのだ。チェーホフの「退屈な話」の老教授のように、ああ、私には判らないと言ってなげいているのではない。君は君自身だけを頼って、やり給え、何が怖いのだと、突っ放すのだ。失敗しても知らんよ、泣きたけりゃ自分で泣くさ、しかし自分で自分の力に頼ってやるのだ、幸福じゃないか、ジュリアンは幸福に死んだよ――と低い声で呟くだけだ。時にはヴァレリーのいうように、舞台へ上って大見得を切ったり、花道を歩いたりするけれども、概してスタンダールの声は低い。が、低い声で突っ放されても、われわれは何か意欲をそそられるのだ。おれもやってみよう、自分の力で……。スタンダールの主人公のはげしい情熱、氷のような冷静な判断と、火のような行動、――この素晴らしさがわれわれを誘うのだ。無気力と倦怠、エネルギーに対する吝嗇、ことなかれ主義、習慣と惰性、月並、常識、年齢による精神の退化、規格型生活、律義者の子沢山、念には念を入れ、貯金帳、タイムレコード、目覚し時計、上役、及第点、若年寄の謡趣味、合理貸し精神――このような一切の糞リアリズムから、われわれを追放するのだ。しかし、蜜蜂が飛び、鳥がうたい、蝶の舞うロマンチシズムの花園へ誘うのではない。孤独の鷲が空に弧を描く断崖の上だ。何という素晴らしさ。これが生きるということだ。ジュリアンはかくの如く生きたのだ。ソレリアンが輩出する所以だ。

白状すれば、私もジュリアンの青春を自分に擬したいと思ったことがある。スタンダールほどの人物が、人生の老衰期に立ち向った時、再び青春を生きるつもりで、自分には欠けた美貌とチャンスと野性と行動力という絵具で自画像のデッサンを彩色して出来上った人物――もしも自分がジュリアンならと夢想しつつ描いた若きスタンダールの肖像だ。憧れるのも無理はなかろう。たしかにジュリアンという人物は、青春期の私にとっては新しい戦慄であった。「赤と黒」は私に小説というものを教えた。ここには詩や演劇には見られない魅力がある。私は「二十歳」「青春の逆説」などという作品で、ジュリアンの爪の垢のような人物を描いた。数年前のことだ。が、最近性こりもなく「夜光虫」という小説で同型の人物を書いた。知慧のない話だが、いわば私のジュリアンへの傾倒のけちくさいあらわれの一つであろう。

しかし、ジュリアンはスタンダールにしか書けなかった如く、ジュリアンは誰も模倣することが出来ない。ソレリアンは永久にソレリアンに過ぎない。既にして芳しくない外面的生涯だ。模倣してはならない。既にしてジュリアンは天才スタンダールの感受性を籍りて、スタンダールも出来なかったようなことをする人物だ。スタンダールは「ジュリアンは藝術家になればよかった。」と皮肉っている。しかし、ジュリアンはスタンダールのように小説は書けない。が、その点を除けば、既にして天才である。模倣しようと思っても出来ない。天才といっておかしければ、すくなくとも第一級の人物だ。

なぜ、第一級なのか。「赤と黒」を読めば判る。

「ヴェリエールの小さな町はフランシュ＝コンテの最も美しい町の一つに算えることが出来る。」

「赤と黒」はこの冒頭の一句を以てはじまる。スタンダールでさえ「最も」といっているこの美しい町で、何が起ったか。何も起りはしない。スタンダールにあっては、決闘でさえも「隣く間に」終ってしまうのだ。

美少年、姦通、野心、情熱、決闘、殺人未遂、牢獄、断首台——と並べてみると、はなはだロマネスクだ。下手な大衆小説みたいに波瀾万丈だ。だが、これらの単語一つ一つに、スタンダール的世界の必然性を感じないようでは、諸君はスタンダールのいわゆる「少数なる幸福者」の仲間入りは出来ない。これらの単語は、スタンダールの夢みた可能性だ。だから、たとえばジュリアンは凄いくらい美少年だ。ありがたくない面相ばかし出て来て、箸がこけるような偶然を描くことすらビクビクと警戒して、欠伸まじりの床の上で製造した子供の泣き声だけが唯一のはなばなしさだ——というような、この国の自然主義小説の観念では、こんな美少年は描けない。樋口一葉、泉鏡花、森鷗外（その「青年」）などさすがに美少年を描いている。作家と美少年——研究材料の一つになろう。私は真面目に言っているのである。ジュリアンは美少年で、しかも行動しなければならぬ。事件が要る。スタンダールはロマネスクな事件をこしらえる。平気で偶然をばらまく。スリルとサスペンスも見ようによっては、息もつかせないくらいばらまかれている。しかし、事件を描くことが、目的ではない。「心理がロマネスクだ」とラディゲは「ドルジェル伯の舞踏会」で言ったが、たしかにジュリアンを行動させせながら、スタンダールが見ているのは、ジュリアンの内部だ。情熱という一色――これがジュリアンの内部でどんな動きをするか、問題はそれだ。そして、それを描くスタンダールのスタイルだ。スタイルとは、頭脳回転の速度だ。

だから、私たちは何度「赤と黒」を読んでも、飽きないのだ。ジュリアンが次に何をするか、どうなるか、どこへ行くか、私は八回も読んだから、知っている。死刑になることも知っている。しかし、九回目に読んでも、どの頁も私にとっては新しいのだ。なぜなら、スタンダールのスタイルは、つねに不意打ちの一行を以て私を驚かす。アランも驚いているくらだ。いや、アランのように驚くためには、私はもう何十回読む必要があろうか。各行、思想に支えられているが、その思想は石ころの観念ではない。行から行へ屈折して行くその角度は計りがたいぐらいだ。山から山へ行く最短距離は頂上から頂上へ結ぶ線を飛ぶことだが、スタンダールのスタイルは、即ち頭脳回転の速度は、頂上から頂上への速さだ。頂上の一点を押える。途端に、山全体の重量が感じられなければならない。氷山のかくされた部分にたとえてもいいだろう。

各頁ごとに私にとっては新しいと言ったが、しかし、ジュリアン自身にとっても新しいのだ。ジュリアンが刻々に新しさを感ずるから、私にとって新しいといってもいい。なぜジュリアンにとって刻々が新しいのか。ジュリアンは何ものをも信じない男だ。宗教すらも信じない。思想も信じない。まして人間、他人を信じない。何ものも頼るものはない。頼れるのは自分の力だけだ。が、ジュリアンにとってはその自分の力ほど信じられないものはないのだ。「君は君の流儀でやって行くね。」とラモール侯爵はジュリアンをひやかしたが、ジュリアンは何もかも自分の流儀だ。ついて学ぶべきいかなる他人の流儀があろう。ジュリアンには権威も模範もない。強いていえば、大空に弧を描く鷲！　これに学ぶ。しかし、鷲に学ぶということは即ち、孤独に自分の流儀だけで行けということだ。「変っていると憎まれる」神学校で失敗したのも、ひとの真似をせず、何でも自分で考えてやっていたからだ。チボーデは博識を駆使して、ジュリアンの偽善性をタルチュフと比較する。が、ジュリアンの偽善性は、自分の流儀しか持たない、そして味方を持たない彼が自分を守る一つの手段だ。偽善によらずに自分を守ろうとすれば、牢の中にはいるより仕方ない。で、彼ははいるのだ。可哀相にジュリアンは恋愛の仕方すら知らない。ジュリアンが女の手を握れば、握るというより摑むといった方がふさわしいくらいだ。何もかも自分で考え出さねばならない。そして、頼りにするのは自分ひとり。その自分が信じられない。だから、瞬間瞬間を苦しいばかりの創意で生きて行かねばならず、「この少年の心には毎日嵐があった。」のも當然のことだ。ジュリアンは漕ぎ方も知らないボートに乗って、毎日嵐の海へ出て行く。妙な比喩だが、彼は毎日結婚する娘だ。何度結婚しても処女だ。

スタンダールははじめの方でジュリアンの容貌を描いて、「額が狭くて、怒ったときには意地悪そうに見える。」と言っているが、ジュリアンを攻撃する者は、ジュリアンの偏狭、意地悪、向う見ず、野心、偽善を挙げて、ジュリアンの育ちの卑しさだというだろう。たしかに彼は野心家だ。「出世のためには、どんなに辛いことでもしかねない男だった。」しかし、ジュリアンには野心、出世欲よりも大事なものがあった。自尊心だ。「赤と黒」でスタンダールが傾倒した三人の主人公ジュリアン、レナール夫人、マチルドのうち、レナール夫人には自尊心の振幅はすくないが、ジュリアン、マチルドの二人は自尊心の権化だ。しかし、二人を比較すると、ジュリアンは卑賤に生れただけに、ひがみ易い。そしてこのひがみがジュリアンの自尊心を一層いらいらさせるのだ。マチルドの自尊心は衣裳をつけた自尊心だ。が、ジュリアンの自尊心は完全な裸だ。自尊心は裸でさらされている。自分に閉じこもろうとしても、すぐ裸の自尊心は傷ついてしまうのだ。「自奪心を傷つけられたことは許せても、傷つけられて許して置く自分は許せない。」――というのが、ジュリアンの行動の野心以上に大きな原動力になっているのだ。いわば、ジュリアンの情熱は自尊心の振幅によって、最も熾んに燃えるのだ。ジュリアンの生涯は自尊心の生涯であるといってもいい。自尊心のためには、いかなる出世のチャンスも捨てて顧みない。一生を棒に振っても悔いないのだ。「出世のためにはどんなに辛いことでも出来る男」だと、スタンダールははじめの方で書いているが、しかし、自尊心を傷つけられることは辛抱できぬ男だという但し書を、あと数百頁に亘って書いているわけだ。自尊心の高さは、ジュリアンから一切の卑屈さを取り除く。侯爵の令嬢マチルドは、このジュリアンの自尊心の高さ、「泥だらけの俗衆」とはっきり区別される精神に打たれる。マチルドの周囲には佃煮にするくらい貴族の子弟がうようよしている。が、彼等の精神は俗衆の精神だ。ジュリアンだけが精神的に貴族なのだ。彼等は人生の昇給をねらい、ジュリアンの懐中にはつねに人生の辞表がひめられている。同じく野心は持っているが、何たる違い。ジュリアンもまた山の頂上から頂上への道しか知らぬ人物だ。諸嬢は社会的地位としての貴族を選ぶか、精神的貴族を選ぶか。むろんマチルドの驥尾に附してジュリアンを選ぶだろう。すくなくとも「赤と黒」を読んでいる間だけでも。諸君はどうだ。マチルドに選ばれたいだろう。はや諸君はソレリアンだ。

しかし、諸君は牢へはいるか。などと、私はゆすり文句を言っているのではない。スタンダールと牢獄――これはお望みなら一冊に書けるエッセイの材料だ。「パルムの僧院」のファブリスも牢にはいる。ジュリアンも牢にはいる。ファブリスは牢獄の魅力が忘れられず、一たん釈放されてから、またのこのこと出掛けて行ってはいる。ジュリアンももし釈放されれば、もう一度入牢を志願したかも知れない。すくなくとも、牢の中でしかレナール夫人に会えないと判れば、入牢したであろう。ジュリアンは死の直前、ヴェルジーの森で経験した楽しい瞬間の記憶が甦って、幸福であった。が、墓の中のジュリアンなら、ヴェルジーの森よりも牢の中の方がなつかしいというだろう。なぜなつかしいのか。

牢の中ではじめてジュリアンは幸福であった――とこう言えば、それは言い過ぎだとひとは思うだろう、なるほど、ジュリアンは地下牢の空気にうんざりしたり、囚われの身の不幸をなげいたり、「孤独の生活！　何という責苦！」だと呟いたりしている。しかし、死刑と確定してからのジュリアンに、これほど幸福な時はなかったと人にも言い、自分にも言いきかせる――いや、はっきりとその幸福感にしびれるくらい、幸福であった。人生の辞表を出してしまったジュリアンには、もう野心はない。俗衆と隔離されたから、偽善もない。自尊心のたたかいもない。桑の葉を食べ過ぎた蚕はやがて絹の牢獄をつくる。作家という動物がそれだと、スタンダールは「エゴチスム回想」で書いている。スタンダールは人生の浪費家だ。豊富な生活者だ。しかもなお婆婆ッ気はある。女もほしい。名誉もほしい。金も。「赤と黒」の新刊批評を匿名で書いたりしている。だから、桑の葉を食べ飽きたわけではない。フローベルのように実生活に全く見切りをつけたわけではない。しかし、実生活ではもはや大して面白いこともないくらいは、ひそかに諦めている。あれば食べるが、しかしもはや誰が新鮮な桑の葉を提供してくれるだろうか。だから、桑の葉を食べ飽きた蚕のように自らを思い込む方が、人生の秋に似つかわしい。で、絹の牢獄をつくる。作品——可能の世界を夢想する。書き出す。書き出せば、さすがに藝術家だ。実生活がいかにはかなく見えることか。小説という可能の世界をつくる仕事——絹の牢獄をつくる蚕の仕事の中にこそ、幸福があったのだと悟る。ここではスタンダールは自由だ。夢想は女の前で吃らない。赤くならない。世間のわずらわしさもない。気兼ねはない。いや、世間というものを描いているのだ。世間の中で小さくなっているのと、世間を手玉にとるのと、どちらが面白いか。世間では真実の言葉を吐いてはならない。が、ここでは、真実への愛が嘘をつくにもひとしい快楽だ。「女たらしになってやろうという確乎たる決心を抱いて、十六歳の時にパリへ出て来た。」というスタンダールも、ついに「藝術は私の一生の仕事だった。」と言うほど、小説の世界に没頭したのだ。

しかし、何たる孤独！　牢獄だ。しかし、女たらしになろうと思いながら、実生活では五十近くなっても女に欺されていたスタンダールは、もっと早くこの牢獄にはいるべきだった。牢獄にはいってこそはじめて生き生きするような感受性、個性、才能の持主だったのだ。スタンダールのような独自の感受性の持主は、藝術家以外の何になれるだろうか。ジュリアンも藝術家になればよかった。スタンダールはそうジュリアンをひやかしている。実感かも知れない。「この少年の心には毎日嵐があった。」というジュリアン、心の静まる瞬間もなく、こせこせと、いらいらと、――ダンテの「地獄」篇には「不断疾走」という刑罰があるが、一刻も休めず不断疾走を続けねばならなかったジュリアンが、やっとこの煉獄から救われるのは、社会から隔離された牢獄の中であり、ジュリアンが最も美しくなるのは、野心の桑の葉を食べ飽きた絹の牢獄であり、ジュリアンという人物の比類なき精神が、最も純粋に最も高度に発揮されるのは、死刑を宣告されてからであり、そしてまた「赤と黒」一巻の最も優れた頁は、牢獄である。「赤と黒」はジュリアンの情熱の歴史だといったが、ジュリアンの情熱は牢獄にはいってから、落日の最後のあかりのようにぱっと燃える。いうまでもなくレナール夫人への情熱だ。

この最後の情熱が燃える前には、ジュリアンは「ただ野心に燃えていたのであった。」ラモール侯爵の女婿！　ところが、もう少しというところで、かつての恋人のレナール夫人が「神の掟」により、ジュリアンを社会から抹殺すべきであるという意味の手紙を、突如として侯爵のもとへ送る。侯爵は令嬢のマチルドにこの手紙を見せる。マチルドはジュリアンに見せる。万事休したのである。この手紙はこれ以上ジュリアンを悪く言えないというくらい、しんらつな言葉に満ちていた。ジュリアンがかっとなったのは無理もない。スタンダールはジュリアンがこの手紙を見てから、ヴェリエールへ行って、レナール夫人を射つまで、岩波文庫で二頁足らずの簡潔な筆で片づけている。ジュリアンがなぜレナール夫人を射ったか、一行の心理描写もない。彼は重要な個所を最も簡潔に書く。最もロマネスクなこの事件を、新聞記事よりも簡単に書く。あとに牢獄がひかえている。ここでジュリアンの心理を説明している暇なんかあるものかという駈け足だ。なぜ射ったのかと、私は足を停める。

レナール夫人のそのいまわしい手紙は、実は彼女自身の文章ではない。彼女は自分が犯した姦通罪の自責に悩まされて、信心に凝り固まっている。偽善屋の坊主が彼女に強制して、自分のつくった文章を写させる。彼女は「神の掟」により涙をのんで写す。ところどころ手加減を加えるが、しんらつだ。このしんらつな文句を、ジュリアンは彼女自身の胸から出たものだと思い込む。かつて、ヴェリエールで自分の顔を抱き寄せてくれたあの美しい胸から！　ヴェリエールというジュリアンにとっていまわしい記憶に満ちた町の想出の中で、レナール夫人の想出だけ唯一の美しいものだった。あのひとだけは、おれをいたわってくれた、あのひとだけは、おれの味方だった、あのひとだけは、おれを信じてくれた、あのひとだけは、おれの醜さを許してくれた！　レナール夫人はジュリアンのノスタルジアだった。そのひとがこんな裏切り行為をする。しかもこんな悪らつな方法で……。あのひとにはおれという人間がこんな風にしか映らなかったのか。この偽善坊主の言い草じみた文句は何ということだ。ジュリアンのノスタルジアは消え、恋も終り、偽善坊主じみた言葉への復讐だけが残る。月並みな言い方だが、レナール夫人そのものを憎んだのではない。その行為を憎んだのだ。この行為は、ジュリアンがつねにそれに挑戦して来た「俗世間」の象徴だ。元来持ち合わせのすくない理性は、憎悪のためにけし飛んでしまい、ジュリアンは敢然としてレナール夫人を射つ。が、ジュリアンが射ったのはレナール夫人ではなかった。「俗世間」を射ったのだ。スタンダールは左の文章の中でちゃんと書いている筈だ。

「ジュリアンはヴェリエールの新築の御堂へはいって行った。建物の高い窓は真紅の窓掛でおおわれていた。ジュリアンはレナール夫人の腰掛けの数歩後ろに来た。夫人は一心に祈祷の最中と見えた。自分をあんなにも愛してくれた婦人の姿を見ると、ジュリアンの腕がしきりに慄えて、しばらく計画を実行することもできなかった。（おれにはできない。生理的に、できないのだ）と、心のうちでおもった。

このとき、弥撒（ミサ）を勤めている若い僧侶が奉供（エレヴァジョン）の合図のために鐘をならした。と、レナール夫人はうつ向き加減になったのですこしの間、顔がまったく肩掛の襞の中にかくれてしまい、ジュリアンには、はっきりそれがレナール夫人と見わけられなくなった。彼はピストルの引金をひいた。あたらない。二発目をうつと、夫人はぱったり倒れた。」

レナール夫人の顔がかくれて、はっきりそれがレナール夫人と見わけられなくなってから、引金をひいたのだ。スタンダールはちゃんと心理描写をしていたのである。このくだりは、誰も感心する。はっとする適確さだ。桑原生島両氏の訳文も「た。」止めで、「……た。」「……た。」と続けた中に「あたらない。」と一個所現在形を挿入して、原文は知らないが、見事なものだ。しかし、このような名文（美文ではない）は、「赤と黒」の各章にころがっている。読者はもう一度読んでみるがいい。私も読んでみる。ジュリアンは死ぬ。誰でも死ぬのだ。「万事はきわめて単純に、型通り進行した。彼としても少しの気取りがなかった。」これだけしか書かれていない。辞世もない。当り前だ。スタンダールとしても気取りはない。「われわれは一つの誇張乃至気取りに陥ることを防ぐためには、他の誇張乃至気取りに拠らざるを得ない。」とはたしかヴァレリーの言葉だが、スタンダールが拠った誇張乃至気取りとは何だろう。ヴァレリーがそれについて、何とか書いていたようだが、忘れてしまった。手許にその本もない。「われわれは軽佻か倦怠かのどちらか一方に陥ることなくして、その一方をまぬがれることはできない。」というジンメルの日記の文句を、スタンダールにあてはめるのは、おかしいだろうか。

サロンでは軽躁をきわめていたらしい、行儀のわるいスタンダール。作品の中でも顔を出す。眼くばせする。にやつく。咳ばらい。ほかの作家ならこういうところはこう書くが、自分は一寸ちがうんだと、ガラガラした声で註釈をはさむ。自分の文章は仏訳を要するといった文法無視の文章を、わざと書く。「不平党が喋ってるんですぜ。」と、近づいて囁く。凡そ滑稽なまでに生真面目な態度を守るには、凡そ不真面目なまでに機智がありすぎる。これが気取りだ。だから、同時代はふんがいした。後世はもうふんがいしない。しかし、ドストエフスキイやトルストイやバルザックにくらべて、何となくスタンダールに機智がありすぎるのが気になるようだ。しかし、パスカルでさえ機智があった。破戒僧は信者の前では笑わない。機智が不真面目の衣裳をかぶったとて、何であろう。傷つき易い感受性の裸を守るためには、衣裳はかぶらねばならない。私はしかし機智を宣伝するのではない。ただ、この国の文学には機智が無さすぎること、百七十一も変名を持った男を受け入れない進歩党的文壇が、共産党の如く余りに偏狭な生真面目主義を保守していることを、——言ってみても、しかし、喝采するのは機智党だけだからつまらない。

ジュリアン・ソレルという人物は読めば魅力のある人間だが、しかし、友達にしたり、親戚に持ったり、娘の婿にするのは、これほど危険な人物はないと、ひとは言うだろう。いや、げんに言ったひともある。文学作品は強烈な刺戟の強い人物が出て来なければ、読む気にならないが、しかし、実生活では、自分の尻尾はおろか、大根の尻尾も出したがらないという、世間にざらにある読者だ。世間とはそういうものだ。われわれは、こういう世間に生きている。そして「万事はきわめて単純に、型通り進行」して、果てるのだ。だからこそ、われわれはジュリアン・ソレルを持ち出すのである。ジュリアン・ソレルを語ることがたのしいのだ。——と、わかり切ったことを、くりかえすのは、もうよそう。

結論はない。ジュリアン・ソレルについて語る機会はまたあろう。「赤と黒」を読む機会はいくらでもある。世間というものが在る限り、ある。馬鹿がいる限り、利口はなくならないように。無理に結論をつける必要はあるまい。作品を読むことが、その都度の結論だ。スタンダールは要約できるようには、書いていないのだ。掴みどころがないという意味ではない。数学をさえ、明確ではない、何一つ判っていないのだ——と、言い切ったスタンダールが、人間の持っているものの中で最も掴みどころがない曖昧な情熱というものを、描いて、一行の曖昧さも書いていないのだ。要約できないというのは、つまり、一流作品の魅力を備えているという意味だ。煮ても焼いても食えない魚の魅力、その味をたのしむためには、毒があっても生のまま食べねばならない。毒を薄めたり、消毒したり、洗ったり、——これは文学亭の料理場でも下廻りの料理人がする仕事だ。

(『世界文学』一九四六年九月)

# 私の文学

## （上）

私の文学――編輯者のつけた題である。

この種の文章は往々にして、いやみな自己弁護になるか、卑屈な謙遜になるか、傲慢な自己主張になりやすい。さりげなく自己の文学を語ることはむつかしいのだ。

しかし、文学というものは、要するに自己弁護であり、自己主張であろう。そして、自己を弁護するとは、即ち自己を主張することなのだ。

私の文学は、目下毀誉褒貶の渦中にある。ほめられれば一応うれしいし、けなされれば一応面白くない。しかし、一応である。

なぜなら、毀も貶も、誉も褒も、つねに誤解の上に立っていると思うからだ。もっとも、作家というものは結局誤解のくもの巣にひっ掛った蠅のようなものだ。人が自分を誤解するまえに、自分が最も自分を誤解しているのかも知れない。

私がこれまで耳にした私に関する批評の中で、一番どきんとしたのは、伊吹武彦氏の

「ええか、織田君、君に一つだけ言うぞ。君は君を模倣するなってことだ」

という一言だった。

その時、私はこう答えた。

「いや僕の文学、僕の今までの作品は、僕の任意の一点です」

仮面をかぶりつづけていると、それが真実になる。任意の一点と思っても、しかし、はじめに設定した任意の一点は私の文学の構図を決定してしまうことになりがちだ。その一点をさけて、線を引くことが出来なくなる。私は私の任意の一点を模倣していたのだ。

私は非常な人生浪費者だ。私の浪費癖は、もういまではゴシップになっているが、しかし、私の浪費はただ物質だけでなく、私の人生、私の生命まで浪費している。この浪費の上に私

の文学が成り立っている——という事情も、はじめは私の任意の一点であったのだが、いまではもはや私の宿命点みたいになってしまった。私はモトの掛った小説などはじめは軽蔑していたのだが、今では小説を書くのに、自分の人生や生命を浪費しているのではないかとさえ、思うくらいだ。すくなくとも、私は小説を書くために、自分をメチャクチャにしてしまった。これは私の本意ではなかった。しかし、かえりみれば、私という人間の感受性は、小説を書くためにのみ存在しているのだと今はむしろ宿命的なものさえ考えている。

こうした考え方は、誇張であろう。しかし、誇張でないいかなる文学があろうか。最近よんだ作品の中で、最も誇張でない秋聲の「縮図」にさえ、私はある種の誇張を感じている。

（下）

私は目下、孤独であり、放浪的である。しかし、これも私の本意ではなかった。私は孤独と放浪を書きつづけているうちに、ついに私自身、孤独と放浪の中へ追い込まれてしまったが、孤独と放浪という任意の一点を設定した瞬間すでにその一点は私にとっては宿命的なものだったのだ。だから、私は今、私を孤独と放浪へ追いやった私の感受性を見極めてこれを表現しようと思っている。そしてまた、私をそうさせた外界というものに対決しようと思う。

これらは、文学でのみ出来る仕事だからだ。この点、私は幸福をすら感じている。

私がしかし、右の仕事を終った時どうなるか。私が目下書きまくっている種類の作品を書きつくした時、私は何を書くべきか、私には今はっきりとは判らない。が、しかし私はその時から、私の本当の文学がはじまるのではないかと思っている。私が今、書きまくっているのは、実は私の任意の一点であり、かつ宿命的であったものから早く脱けだしたいためである。書きつくしたいのだ。反吐を出しきりたいのだ。

そのあとには何にも残らないかも知れない。おそるべき虚無を私はふと予想する。しかし私は虚無よりの創造の可能を信じている。本能を信じているのではない。私には才能なぞない。私ごとき才能のない人間が今日作家として立って行けるのは、文壇のレベルが低いからだ。この国では才能がなくても、運と文壇処世術で大家になれるのだ。才能のないものでも作家になれるのが、この国の文壇だ。だから、私でも作家になることが出来た。私はただ自分の菲才を知っているから、人よりはすくなく寝て、そして人よりは多くの金を作品のために使い、作品がかせぎ出した金は一銭も残そうとしなかっただけだ。私は新円と旧円のきりかえの時、二百円しか金がなかった。今でもそうだ。印税がはいってもすぐなくなってしまう。私は年中貧乏だ。しかし私は貧しい気持にはなりたくない。私は借金してでも私の仕事のためには贅沢な気持でいたい。私がせち辛くなれば、私の仕事もせち辛くなろう。これを私はおそれる。日本は敗戦と共にわびしく貧弱になったが、私は日本とともにわびしく貧弱になることを私の文学のためにおそれる。敗戦と共に小説が下手になったといわれることをおそれる。

私の今日の文学にもし存在価値があるとすれば、私は文学以外のことでは、すべてを犠牲にしている人間だという点にあるのではないかと思う。私は傲慢にそう思っている。私は自信家だ。いやになるくらい己惚れ屋だ。私は時に傲語する、おれは人が十行で書けるところを一行で書ける術を知っている――と。しかし、こんな自信は何とけちくさい自信だろう。私は、人が十行で書けるところを一行で書く私には、千行に書く術を知っている――と言える時が来るのを待っているのだ。十行を一行で書く私には、私自身魅力を感じない。しかし、やがて十行を何行で書くか、今のところ全く判らないという点に私は魅力を感じている。私はまだ全く自分にあいそをつかしたわけではない。私は私にとっても未知数だ。私はまだ新人だ。いや、永久に新人でありたい。永久に小説以外のことしか考えない人間でありたい。私の文学――このような文章は、私にはまだ書けないという点に、私は今むしろ生き甲斐を感じている。といってわるければ希望を感じている。それが唯一の希望だ。文学を除いては、私にはもうすべての希望は封じられているが文学だけは辛うじて私の生きる希望をつないでいるのだ。目的といいかえてもよい。

（「夕刊新大阪」一九四六年九月二四・二五日）

# 二流文楽論

二流文楽論など、という不景気な題をつけたのは、実は私の真意だ。少しは自嘲だが、多くは主張だ。主張は明らかにして置かねばならない。

かつて文楽は流行した。万葉ばやり法隆寺ばやりお能ばやりと同じ現象が、この落日の最後のあえかな明りのような、大阪の町人藝術に、文化への仲間入りを許したのである。この国では、文化人というものは猫でなければ杓子である。非文化人だけが食わずぎらいなのだ。文化人は食わぬ前から、好いているのだ。見ぬ前から、文楽の「よさ」を認めているのだ。「よさ」という言葉が漠然と意味しているもっともらしいものを、手っ取り早く摑むという文化的修学旅行のために、団体切符を買うのが、この国の文化人であった。彼等にとって急がば廻れとは、古本屋を廻ることであり、実地見学所を廻ることであり、ドサ廻りの文化評論家の意見をきくことであった。彼等は猫も杓子も文化の環状線をぐるぐる廻り、孤独の一本道をひとりトボトボ歩いて行く者はまれであった。この国では、文化とは最大公約数のようなものであり、文化人とはこの公約数で割り切れるという点に於て、大同し、猫と杓子が違う程度の小異しかなかった。そして文章が書けて、ひとが一行しか語れぬ所を十行にも百行にもひきのばして語る術と、ひとと同じことを喋ることを恥としない厚顔と、自分は有名で高級な文化人であるからいかなる問題についても意見を述べることが出来るという自惚れを持っているおかげで、文化の指導者顔をしている所謂文化的名士が、彼等を指導し、彼等の意見を気の利いた言葉でまとめるというのが、昨日にかわらぬ今日の現状だ。かくの如き文化人とかくの如き文化的名士！　一篇の文楽藝談と一幕の立見とドサ廻り用美学をもとに、いかに多くの文楽論が語られたことか。考証と聞書の二杯酢につけるほかに、煮ることも焼くことも出来なかった文楽論が、佃煮にするという簡単な調理法で大衆化したのだ。しかし、佃煮の一つ一つが似ているように、何とそれらの文楽論が似たり、寄ったりであったことか。なぜだろう。

佃煮が東京で流行したように、文楽は大阪でよりも東京で歓迎された。しかし、文楽が東京で受けたのは東京での公演回数がすくないからで、大阪のように毎月の常打小屋があれば、せめて文楽だけは見て置こう、見るなら名人の生きている今のうちだとあわてて駈けつける文化人が、東京にはいかに多くいるとしても、恐らく毎月見に行きはしないだろう。文楽に陶酔している時の快感は、生理的に散髪の快感に似ている。が、同時に文楽の退屈感は、理髪店の待合所で備えつけの官報を見たり、理髪師免状や表彰状を見上げたりしている時の退屈さに似ている。退屈でも、お洒落は毎月欠かせないだろう。頭髪は放って置けば伸びる一方だ。しかし、文化人としての教養のお洒落は、一度見物して置けば、それで一応形がつく。あれが榮三、文五郎、古靭、サワリいいね、三位一体、人形づかいの顔や黒衣が邪魔にならぬ、人形に魂がはいっている、リアリズムとシンボリズムの違い、人形劇こそ最大の舞台藝術だ、思想は古いが、ポール・クローデルもハーゲマンもほめている。文五郎のお園のポーズの美しさ、榮三の方が渋いと云うがなるほどジタバタしないところは貫禄がある、汗びっしょり、声楽家でもあんなに声が続かぬ。人形重いだろう。随分労働だ、激しい修業をするそうだ。生活には恵まれぬらしい。気の毒だね。筋なんか判らなくっても結構見られるよ。妙な声だがあれがいいんだろう。さすがに古靭品があるね、文楽精神うたれるよ。絵葉書売店で買って帰ろう。まだ一幕あるが三宅周太郎がけなしていたから、見なくてもいいだろう。よし、判った、文楽のよさは判った。――と、帰ると、もうそれで一かどの文楽通らしく文楽を語るのだ。文章にも書く。退屈したが、退屈したとは書かない。喋る時はお転婆娘か悪所通いの男のようでも、書く時は見合写真のように、つつましやかな処女か汚れなき童貞に見える必要がある。古靭よりも南部や伊達太夫の美声の方が気に入ったと書いたり、榮三のよさは判らぬと書いたりすれば、藝術の判らん男と思われるから、古靭と榮三をほめて置く。たちまち文楽論が出来る。出来る筈だ。エノケンとロッパとどちらが高級であるか、あるいは低級であるかという問題について論ずるよりも、榮三の渋さが文五郎の絢爛さよりも藝の品格が高いと言い切る方が、容易なのだ。なぜなら、エノケンとロッパの問題は、人それぞれの好みで判定してもいい問題だし、それに定評というものがないから、すべてみな自分の言葉で語らねばならない。しかし、榮三と文五郎の問題は、あたかも里見弴の巧妙無類の饒舌的文章も志賀直哉の簡潔な文章にくらべると、藝の品格が落ちるという見方が、既に文壇の動かすべからざる定評であり、これに異を樹てるのは即ち権威への反逆だということになっているのと同様に文五郎の艶っぽい派手さは俗受けで、栄三の渋さこそ入神の名人藝だという定評が既に犯すべからざる権威となっていて、敢て文五郎を立てんとしても、汝未だ文楽を論ずる資格なし、もっと勉強せよと一笑に附されてしまう。一事が万事、さまざまな定説に従って置けばまず間違いなしで、お好みの一品料理よりも定食の方が便利で簡単で充実しているわけであろう。下手に凝って、盲目滅法にメニューを指さしたために、デザートとスープだけを注文して笑われるより、定食一点張りの方が恥をかかずに済むというわけではなかろうが、しかし、文楽に於けるかずかずの定食とはもはや一種迷信的なものになっているのだ。そして、この定説というものがあるおかげで、文化人は文楽を理解したような気になるのである。人形浄瑠璃芝居とは元来が大阪の庶民と一部の好事家相手の町人藝術であったのだ。けっして文化人の肌に合うものではなかった。それが突然文化人の興味——というより畏敬の対象になったのは、スタンダールのいわゆる結晶作用が起ったためではあるまいか。ただの人形浄瑠璃芝居が「文楽」という観念のヴェールをかぶったのである。はじめに、観念があったわけだ。「文楽」というこの観念のおかげで、人形浄瑠璃芝居は美化され理想化されたのである。新興宗教が、奇蹟によって信者を獲得するように、文楽は「文楽」という最上級の観念によって信者を獲得した。文化人は奇蹟に対しては疑惑的だ。しかし、奇蹟の具体性を最上級の観念の抽象性に代置すれは、もはや文化人は最も狂熱的な信者になり得るのである。宗教の名に於ては狂信しないが、藝術の名に於ては狂信するのである。

即ち、彼等は文楽を最上級の藝術と見たのである。
　そして、これらの信者の先頭に立ったのはいわゆる文楽教の使徒たる文楽研究家たちであり、彼等の書いた一流文楽論は文楽の福音書であった。私の二流文楽論はことの成行としてそれらの一流文楽論への一種の疑義である。

　一流文楽論とは、一流の論者が文楽が一流藝術である所以を強調するために、あるいはそれを前提として、文楽の一流藝人を語ったものである。かつて文楽について書かれた文章はすべてそれであった。文楽を語るとは即ち、団平、玉造、長門、大掾（だいじょう）、津、古靭、土佐、榮三、文五郎等のいわゆる名人、恵まれざる文楽の人たちの中で最も恵まれた人たちを語ることであった。しかし、私は今、これらの恵まれた人たちのかげに埋もれて、一生パッとしたところもなく、下積みの生活、縁の下の力持ちの境遇に甘んじて来た人たち、甘んじている人たち、今後も甘んじて行くであろう人たちのことを、ポソポソと不景気な声で語ろうと思う。いわゆる一流主義に対する二流主義、英雄主義に対する凡俗主義、それがこの二流文楽論なのである。語られる人もいわゆる二流だが、語る私も二流だ。文楽が二流藝術である所以を説明するために、あるいはそれを前提として、二流論者が二流藝人を語るあわれな二流文楽論なのだ。

ここまで書いた時「文楽の人」というささやかな本が東京から送られて来た。実は私の著書なのだ。昭和十七年の末に書いたものだが当時出版を許可されず、最近やっと上梓の機を得たものである。「文楽の人」は当時一流文楽論の信者であった私が、栄三、文五郎の評伝を小説風に書いたものだけに誇張と迷信が各頁に氾濫しているとはいうものの、既に二流文楽論の萌芽が感じられぬわけでもない。しかし、私は文楽を二流だと主張することによって、文楽を軽蔑しようという気持はない。私はただ自分の誤謬を訂正したいと思うだけだ。訂正するつもりが、かえって誤謬を重ねることになるかも知れない。誇張を避けることが、反動的にさらに私を誇張させるという結果も予想される。しかし誇張と誤謬を避けて、いかなる藝術論が成立するだろうか。こんな場所へ、ヴァレリーの、しかも、これまでたびたび私が引用して来た言葉を利用するのは、藝のない話だが、便利だから、阿呆の一つ覚えに使えば「われわれは一つの誇張乃至気取りを避けるためには、他の誇張乃至気取りに陥らざるを得ない」のだ。そしてスタンダールを皮肉ったヴァレリーのこの言葉すら、既に誇張乃至気取りを含んでいると思えば、もはや私は毒を以て毒を制するよりほかに仕方がない。そして、私は毒を薄めて使うほど賢明でないから、今はもうはっきりと言うが、文楽が二流藝術であると同様に、この国の文学もまた二流である。すべて二流だ。

　無論、一流という言葉にも、ピンからキリまでさまざまな意味はある。例えば、かつて東京に一流会という社交団体があって、将棋の木村名人はその会員であったときいている。一流会の会員になるには一流人物であるという資格が必要だったから、会員の木村名人は自他共に一流人物だと認めたわけであろう。木村名人は人と雑談している最中に、話の順序とは関係なしに、突如として「何といっても将棋ではおれが一番強いんだから……」と言う癖があるそうで恐れ入る外はないが、しかしこの名人も最近大阪のある新聞で企画した升田七段との五番試合で、まだ三十歳になるやならずの升田青年に香落、平手の二局を続けざまに破られて、続く第三局は狼狽した将棋大成会の方で予定通り打つべきか見合わすべきかと目下考慮中だという噂がまことしやかに伝えられているところを見ると、名人の日本一も、大分怪しくなって来た。升田七段はその対局のことで、新聞社へ現れた時、社の人たちは復員闇屋が来たと思ったくらい、みすぼらしい影の薄い印象を与えたそうだが、このショボショボした青年が七段にして名人以上の棋力を備えていたのである。しかし、棋力は名人以上でも、いわゆる一流人物として、即ち一流会の会員たる資格の点から見て、升田が木村の上位にあるとは、いかな私でも断言できない。升田七段は雑談中共産党をどう思うかと質問された時、「共産党は将棋が流行している間は、あきまへんな。将棋は王将を大事にするもんやさかい」と、異色ある返答をしたというが、しかし、この独創的な言葉も、社会的に一流の資格を与えられるかどうかという点では、升田七段にとって遂にマイナス以上に出ない言葉である。そして、そういう意味に於ては、この国の作家たちはすべて一流の資格を持っている。数多い専門棋士の中でも、一流の資格を持っているのは、わずかに木村名人ひとりだというのに、作家たちはいとも簡単に一流になっているのである。この国で名士になるには、作家になるのが一番の早道だ。升田七段のような天恵の才能を持ったいわゆる天才は百年に一人しか出ないが、しかし、一年に数人ずつ文壇へ送り出される作家たちは一寸小説を書くすべを知っているというだけで、またたく間に名士になり、その心掛け次第で社会的に一流たり得るのである。しかも、彼等は将棋の三段ほどの天恵の才能も持っていないのである。

思えば、この国では一流作家が多すぎる。しかし、彼等は社会的には一流かも知れないが、文学的には全部二流なのである。そして絶対に一流たり得ないのだ。われわれは文学文学という時、つねに一流文学の観念を、念頭に置いている。文学とは即ち一流文学である。つまり最上級の文学へのノスタルジアで、文学を論じ、作品を作っているのである。宗教家が最上級の観念としてのキリストへのノスタルジアを持っているように、作家は最上級の観念として一流文学を持っている。しかし、いかなる宗教家もキリストになれないように、いかなる作家もおいそれと一流作家になれるわけではない。ゲーテやトルストイやドストエフスキイやスタンダールは、千年に一人の天才なのである。この国の作家たちはすぐ天才扱いをされるけれど、彼等の天才ぶりは将棋の升田七段にも及ばない。彼等が真に天才ならば、ゲーテ、トルストイに匹敵する一流文学が作れる筈だ。しかし、彼等にとって一流文学とは遂にノスタルジアに止るのである。観念として持っていても、遂にそれを実践することは出来ない。天は彼等に一流文学を作り得るほどの才能を与えていないのである。彼等が与えられたのは、一流文学へのノスタルジアを抱きながら、せっせと二流文学を作るという程度の才能でしかない。逆立ちしたって、一流文学は作れないのだ。まがう方なく二流作家である。彼等がこの国で一流作家として通っているのは、彼等が二流たることを自覚して、われ二流なりと言い切らないからである。一流という言葉がこの国でどんな卑俗な意味に使われているにせよ、既に彼等の文学を二流の地位に引き下げるほどの一流文学を古典として持っている以上、いち早く一流作家という肩書を返上して、二流たることを宣言すべきではあるまいか。

もっとも、彼等は文学の道に足を踏み入れた時、既に一流文学としての文学観念をノスタルジアとして持っていて、それにひきづられて文学者たらんとする悲壮なる覚悟を抱き、一流文学の真似事をして来たのであるから、今日に及んで二流たることを宣言することは、キリストを裏切って異端者にならんとするほどの苦痛を感ずるに違いない。エピゴーネンでもいいから、一流文学としての文学の観念へのノスタルジアを抱きつつ、その真似事をすることによって二流文学たることのそしりからまぬがれようと思うのも、無理はない。批評家(専門の批評家、作家兼批評家、読者、作家の中に棲んでいる批評家のすべてをひっくるめて)というものは、宗教家がキリストの名に於て口を利くように、批評家自身の観念として持っている一流文学としての文学の名に於て、彼等の二流文学を批評するからである。そして、彼等がこの国の作家たちの二流文学を、一流文学でないという理由で、あるいはこき下ろし、あるいは慨嘆することは、大いにもっともであり、一応正しい批評精神のあらわれであろう。しかし、絶対に一流たり得ないこの国の作家たちを、一流でないという理由でこき下ろすのも、考えてみれば二階から目薬に似たようなものだ。しかも、批評家自身けっして一流ではあり得ないのだ。批評家は一流文学を勉強し、一流文学としての文学の観念を抱き、その名に於て批評しているおかげで、自分自身を一流だと錯覚しているかも知れないが、二流文学をやっつけたからとて、彼自身一流たるとは限らない。この国の批評家の多くは、二流文学をつくる才能すらない許りに、批評家に転向した、いわば二流作家になり損いの二流評論家なのである。思えばこの国の文壇は、二流評論家が絶対に一流になり得ない二流作家の作品を、一流でないという理由で慨いているという現状を、当分続けて行くだろうと、言えぬこともない。

一流たり得ないとは、実にわれわれが生れながらにして背負っている宿命なのだ。してみれば、われわれはもはや一流文学の真似事で自分をカモフラージュせず、二流文学者として徹することに、新しい道を見出すほかはないと、私は独断する。ジェームス・ジョイスの「ユリシーズ」やケストネルの「ファビァン」、ジャン・ポール・サルトルの「水いらず」「反吐」など新しい文学は、明らかにいわゆる一流文学としての文学の観念への反逆であり、彼等が二流文学の選手たらんとしたからこそ、新しいスタイルが生れたのではあるまいか。一流文学へのノスタルジアを断ち切らぬ限り、このような新しい文学は作れぬのである。彼等はすくなくともエピゴーネンではない。エピゴーネンとは、一流の模倣しか出来ぬ、しかも二流に徹し得ない自分を一流と思い込んでいる二流の謂いだ。現代アメリカの作家の中で、すくなくとも私を最も感心させたヘミングウェイの作品なども、一流文学の模倣でないところにその面白さがある。この国には一流文学へのノスタルジアを、自然主義的私小説に見出している律義者がいるけれども、批評家が同じノスタルジアでかくの如き律義者を文学の名に於て推賞している限り、新しいスタイルの出現は永久にはばまれるかも知れない。しかし、その障害を飛び越えて行くのが二流に徹した二流作家である。

太宰治、坂口安吾に私が誰よりも期待するのは、この点である。彼等の新しさはすくなくとも二流に徹した新しさである。ある仏文学者が、荷風の如き大家が為永春水の如き戯作者を模倣するのはなげかわしいと言っていた。私はなげかわしいとは思わなかったが、不思議には思ったこともある。しかし、荷風の如く西欧の一流文学に親んで来た作家が、突如として春水を師と仰いだのは、荷風は荷風なりに二流作家に徹しようとした発願の現れではなかろうか。荷風は二流作家としての自己の道を見出したが、しかし、それが江戸時代への逆行であっただけに、新しさはあり得なかった。しかし、一流を模倣して遂に一流たり得なかった島崎藤村のにせ一流ぶりよりも、私は荷風の二流ぶりに賛成したい気がする。一流ぶりと二流ぶりの混乱した例は高見順である。高見順は作品の題名をすべて詩歌から取るというところに、まず一流ぶりと二流ぶりの混乱を示している。この題名の点では、たとえば通俗作家がせめて題名の点だけでも、文豪の詩や聖書からひき抜いて来るという堕落へのカモフラージュよりも、高見順の作品が通俗小説でないだけに滑稽感がすくないが、「わが魂の告白」は彼の一流ぶりである。この一流ぶりは、果して好評を博したが、二回三回とつづいているうちに、早くも二流の馬脚を現わした。しかし、私はこの馬脚を彼の二流ぶりがキラキラ現われたものとして、面白いと見ている。「わが魂の告白」をライフワークなどと一流ぶらないで、しどろもどろの弁解や、四方八方への気兼ねに二流の真髄を発揮すべきではあるまいか。どうせ、筆舌には出せず、胸の底に秘めて置かねばならないこともあるという自伝的告白であってみれば、一流ぶりも限度があり、借物のスタイルを自家の薬籠に入れた饒舌体の二流ぶりに徹する方が、よしんば彼を大家にすることをさまたげるとしても、新しい二流文学のためには意義があろう。描写のうしろに寝ていられないスタイルのデカダン化こそ、二流の自覚なのであり、それが一流と対決するのではあるまいか。二流は二流としての主張を持つべきであり、二流を一流めかして粉飾してはならない。しかし、舟橋聖一は一流ぶりからのデカダンスとしての二流に落ちながら、二流文学としての主張を忘れた点に、いかがわしい海千山千があり、二流文学の俗化である。二流文学もまた高貴ある文学であり、新しい文学運動の気配が、二流文学への献身から生れんとしつつあるとはサルトル等の新興フランス文学を読んでも判るのである。かつての新感覚派、ダダイズム、新心理主義、形式主義などは何れも二流文学としての新しさであったが、これらの文学運動の選手たちは、何れも一流の奥床しい魅力に屈服してしまったのだ。文学の運命を悲壮に説いた北原武夫は、彼の作品に運命が感じられず――思えば、誰もかれも二流であることを隠したがる。二流であることは侘しいことには違いない。藝術家にとって、自分達の藝術が二流であると自覚するほど悲しいことはない。しかし、藝術とは神への挑戦である。神がつくった自然とはべつに、第二の自然をつくろうというこの大それた仕事の才能が誰にも与えられるわけではない。作家としてのモラリッシュ・ポーズから、二流であることを隠し、殊勝な顔をしてミューズの祭壇に祈りを捧げれば、ミューズは喜ぶだろうが、しかし女神というものはつねに取巻き連に対しては冷酷なのである。一流扱いをされて閉口している文楽の人たちの方が、文壇の人たちよりもはるかに正直ではあるまいか。

文楽の人たちは文楽を一流藝術だとは思っていないのだ。まして自分たちを一流の藝術家とは思っていない。この人たちは何れも大阪の市井の俗人に過ぎない。名士になろうという野心もない。大きな邸宅など構えて、一流人らしく収まりかえったりするような真似は出来ない。「号外」を「ボウガイ」と言って、人に指摘されると、「なんや一字だけの間違いやないか」と言う。自分の住んでいる家の所番地も言えない人間も文楽にはいるのだ。「土佐は賢こすぎる。古靭は学者すぎる。津太夫は阿呆すぎる」と言った人があるが、土佐、古靭を除いて、津太夫を筆頭にみな阿呆であった。誰かが秋聲を無学文盲と評したが、どこか秋聲と似かよう津太夫は紋下までなりながら、一流人の面影はなかった。一介の市井人であった。寄席藝人とそう違ったくらしはしていないのだ。いや、彼等の見物である大阪の庶民が住むような家に、彼等も住んで、同じ銭湯にはいっている。長屋ぐらしもしている。自分が無学文盲なので、学問の出来る女房を貰えば、賢い子供が出来るだろうと思って、貰ったのが小学校の女教員だったという人もいる。みんなその程度の考え方なのだ。そして一生うだつが上らず、ショボショボと下積みの藝人としての一生を文楽と共に送るのが、彼等の大半である。ある人は五十年間足だけしか使えなかった。ある人は一生口上役で終ってしまった。ある人は人形の修理で一生を終った。ある人は大序のままで終り、ついに拍手の来るサワリを語る機会がなかった。そして、このような真の二流の人がなければ、文楽というものは興行できないばかりでなく、文楽というものを代表しているのは、実にこうした真の二流の人たちなのである。名人がなくなれば文楽は亡びると思われている。私も一時は迷信的にそう感じたが、名人がいなくなった文楽は、恐らく場末の二流藝術として生き残り、わびしい、卑俗な、二流の藝を、庶民相手に見せながら、文楽というものが結局小市民の二流の藝術であったという点を明らかにするのではあるまいか。そして、その時こそ、文楽の忘れられていた魅力が改めて甦るのではなかろうか。

以上述べたところは、前書きだ、次号にはそれらの二流文楽人のことを語りながら、以上述べたところを敷衍するつもりである。

（『改造』一九四六年一〇月）

# サルトルと秋聲

## 定説への疑義

「世界文学」十月号に訳載されたジャン・ポール・サルトルの「水いらず」は終戦後の日本文壇にとっての、唯一の新しい戦慄である。

関西で出版されている数多くの文藝雑誌は殆ど例外なしに東京文壇の軽蔑を買っており、私もそれについて何一つ抗議したい気持は持たぬけれど、しかし、わずかに「世界文学」の十月号のみは、サルトルの「水いらず」とその小説論を紹介したことによって、東京を代表とする日本文壇の権威に、ささやかな挑戦の姿勢を示したと言えば言えぬこともない。

サルトルの提唱するエグジスタンシアリスム（実存主義）は、戦争の混乱と不安が生んだ、フランスに於ける一つの思想的必然だと、訳者は言っているが、われわれがエグジスタンシアリスムの驥尾に附す附さぬは別問題としても、すくなくとも「水いらず」という一九三八年の作品が、一九四六年の日本にとって一つの文学的必然となり得ることだけは、断言してもいいと思う。

私自身終戦後すくなからぬ小説を発表しているから、このようなことを言うのは、まことに残念至極であるけれども、終戦後の日本の文壇には、何一つ文学的必然だと言えるような作品はなかった。敗戦がうんだ文学などと一口に言われているが、ただ敗戦を忘れた文学があっただけではないか。

もっとも、敗戦を忘れるなといっても、作家が貧血になることによって誠実を装うということではない。多くの作家は誠実面をしているが、しかし、それは世間に対する誠実であって、自分に対する誠実ではない。よしんば、自分に対して誠実であっても、過去の自分と現在とのつながりを見つけることに汲々としている自分の心境の告白によって、誠実を装うているようなのは単ににせの誠実にすぎない。

敗戦によって古い日本は一応亡びたのだ。自分も亡びたのだ。軍閥だけが亡ぼしたのではない。作家たちも亡ぼしたのだ。便乗の有無にかかはらず、日本の文学は日本を亡ぼすように出来ていたのだ。

しかし、過去の日本の文学は毫もその権威を失っていない。明治以後百年にもならぬのに、既に多くの作家が文豪と称されて、彼等の作品は古典の仲間入りをして、文学の祭壇に祀り上げられ、彼等の片言隻句は文学の神様の言葉となり、かくて生れた日本文学の犯すべからざる定説が厳として後輩の作家たちを指導して来た。

そして、かかる権威、かかる定説に対して疑義を抱こうとする作家も現れず、明治以後の文豪に向っての明確な功罪論も行われなかった。

しかし日本を亡ぼしたのが結局日本人のものの考え方であるとすれば、その代表者である明治以後の文豪たちにも、責任がある。すくなくとも、われわれは現在、彼等を古典とすることに、疑義を提出してもいいのではなかろうか。

敗戦を自覚するということは、このような疑義をあらゆる問題に向って提出するということではなかろうか。それを怠っている文壇を、だから私は敗戦を忘れた文壇というのである。

## 孤独の道なき道

かつて多くの作家は軍国主義の下に、あるいはその思想の下に徴用されたが、今日もまた多くの作家は今日の流行思想の下に簡単に徴用されている。彼等は異口同音に民主主義文学を口にしているけれども、それらの多くは借物の思想であって、文壇進歩党、文壇社会党、文壇共産党の発会式にそれぞれ借着の衣裳で参列している光景は、猿がつけた衣裳ほどに見栄えのせぬ、猫がモーニングを着、杓子が背広を着たドサクサまぎれの田舎芝居に似ているのである。

元来、日本人の悪癖は他人の頭を借りてものを考えるという点であるが、作家もまた日本人である限り、多かれ少かれこの悪癖から免れてはいない。文学は本来反逆精神のあらわれであり、どんな優れた思想でも自分の頭が発見したものでない以上納得が行くまでとことんまで疑うという手間を掛けるのが文学者の使命であり、権威、定説、常識、最大公約数に向って本能的に背中を向けることが文学者の孤独な宿命であるにもかかわらず、日本の文学者は直ちに猫になりたがり、杓子になりたがり、驥尾に附したがり、虎の威を借りたがり、味方や同志を作りたがる。

例えば、最近新聞会報でかつての情痴作家であった某氏が、私の新聞小説を論ずる時に、この作家は志賀さんから否定された、志賀さんのような人から否定されたのは、この作家が駄目な証拠だというような口を利いていたが、志賀直哉という日本文学の定評的権威から虎の威を借りたという点に、某氏の猫的文学観がうかがわれるのである。

つまり彼は志賀直哉の頭を借りなければ、もはや私のような若輩作家をすら論評することが出来ないのだ。このような作家は世の風潮に敏感に便乗することによって、ついに鰯の頭すら借りるような盲信ぶりをばくろするであろう。


思えば、日本には文学者本来の孤独の一本道をトボトボ歩む人がすくない。人類はじまって以来多くの天才は、われわれが借りるべき多くの衣裳を残してくれた。われわれは借着にことを欠かない。しかも、借着は損料だけ払えばいいので、苦心惨憺して手織りの着物を作るよりも便利で、世間態も一応（借着だということがばれぬ限り）立派な紋附姿になれるのである。しかし、いかに手間が掛っても、見すぼらしく貧弱に見えても、手織りの着物を着るのが文学者本来の道ではなかろうか。敗戦し、焼け出されても、せめて思想の借着だけはしない気概はあってもいいのではなかろうか。

自分の頭で考えたことだけを語り、書いて行くという孤独な道は、いわば道なき道であろう。「道なき道を歩む」とは徳田秋聲の言葉である。秋聲の「縮図」は道なき道を歩んで来た秋聲の末期の眼が描いた名作である。しかし、われわれは今や「縮図」をとるべきかサルトルの「水いらず」をとるべきかの二者択一を強いられている。

## 人間の可能性

ライフ誌に載ったジャン・ポール・サルトルの近影を見ると、向って左の眼が右の眼の三倍ぐらいあり、しかもその視線はぎょろりと、あらぬ方向へ向けられていて、恐らく義眼ではないかと思われる。

サルトルの「水いらず」はこの義眼が肉眼以上の鋭さで人間に迫った文学であり、秋聲の「縮図」は末期の眼が肉眼以上の生き生きさで人間に迫った文学であり、借り物の人生観に曇らされぬ人間像の見事な表現であるという点で一致しているが、出来上った形はまるで両極端に違っている。

「縮図」は未完ではあるが、秋聲が発見した人間描写法が秋聲ごのみの人間を余人一筆も加え得ずと思わせるくらい、過不足なく描いて、しかも秋聲なりの社会の縮図になっている点、明治以後の日本文学が達し得た最高峰の完璧な形式といえるだろう。ここには一行の無駄も、一行の誇張もなく、私たちが受けて来た日本文学の教養、日本文学の伝統へのノスタルジアに基く鑑賞眼、批評眼は「水いらず」のデフォルマシオンよりも「縮図」の整形の方を品格の高い文学として選ぶに違いない。それが日本文学の定評であり、「水いらず」の新しい戦慄も二流文学として否定されるおそれがある。

それほど、日本の文壇には、厳としておかすべからざる神聖な権威が、文壇進歩党の制服になっていて、この制服を脱いだりボタンをはずしたりすることは堕落であり、不純であり、低俗であり、異端者であり、甚しきは文学的非人格者であるとさえ言われるのである。

志賀直哉の文学も、秋聲の文学も、その出現当時はそれなりに新しい文学であった。そしてその新しさは個性の強さという資質に支えられたものであったが、これらの個性、資質が直ちに文学の教科書となり、小説の手本となり、約束となり、いかなる作家もここから出発しなければ文学が判らぬというくらい古典的な影響を及ぼし、しかもこの影響からまぬがれ得た作家は僅少だという点に、日本の文壇の不甲斐なさがあり、誤謬があった。

私が敢て「縮図」よりも「水いらず」を選べというのは、だからこのような文壇の澱んだ空気に中毒したまま老衰するよりも、むしろ「水いらず」の毒をヒロポン代りの覚醒剤にしたいからである。

サルトルの提唱するエグジスタンシアリスム（実存主義）は、虚無主義に基いた不安の思想であるが、しかし、サルトルは現実逃避もせず、不合理な人生、醜怪なる人間を直視したまま、敢て救いも求めず、希望も抱かず、「水いらず」は病気の不足であるが如き健康などには憧れぬ病気の文学として、劇しい毒を含んでいる。

しかし、同じ毒であれば、日本の文学を倦怠させる古典の土蔵の空気の毒を吸うよりも、意識的にサルトルの毒を注射して、土足のままで人間の可能性を描くヴァイタルパワーを生み出す事が、はるかに有意義である。

サルトルは人間の可能性を描いたのだ。日本の文学は私生活の総決算をしか描かず、可能性を描こうとしなかった点で、いちはやく行き詰るべき運命を持っていたのである。

（「東京新聞」一九四六年一一月一六～一八日）

# 可能性の文学

坂田三吉が死んだ。今年の七月、享年七十七歳であった。大阪には異色ある人物は多いが、もはや坂田三吉のような風変りな人物は出ないであろう。奇行、珍癖の横紙破りが多い将棋界でも、坂田は最後の人ではあるまいか。

坂田は無学文盲、棋譜も読めず、封じ手の字も書けず、師匠もなく、我流の一流をあみ出して、型に捉えられぬ関西将棋の中でも最も型破りの「坂田将棋」は天衣無縫の棋風として一世を風靡し、一時は大阪名人を自称したが、晩年は不遇であった。いや、無学文盲で将棋のほかには何にも判らず、世間づきあいも出来ず、他人の仲介がなくてはひとに会えず、住所を秘し、玄関の戸はあけたことがなく、孤独な将棋馬鹿であった坂田の一生には、随分横紙破りの茶目気もあったし、世間の人気もあったが、やはり悲劇の翳がつきまとっていたのではなかろうか。中年まではひどく貧乏ぐらしであった。昔は将棋指しには一定の収入などなく、高利貸には責められ、米を買う金もなく、賭将棋には負けて裸になる。細君が二人の子供を連れて、母子心中の死場所を探しに行ったこともあった。この細君が後年息を引き取る時、亭主の坂田に「あんたも将棋指しなら、あんまり阿呆な将棋さしなはんなや。」と言い残した。「よっしゃ、判った。」と坂田は発奮して、関根名人を指込むくらいの将棋指しになり、大阪名人を自称したが、この名人自称問題がもつれて、坂田は対局を遠ざかった。が、昭和十二年、当時の花形棋師木村、花田両八段を相手に、六十八歳の坂田は十六年振りに対局をした。当時木村と花田は関根名人引退後の名人位獲得戦の首位と二位を占めていたから、この二人が坂田に負けると、名人位の鼎の軽重が問われる。それに東京棋師の面目も賭けられていて、負けられぬ対局であったが、坂田にとっても十六年の沈黙の意味と「坂田将棋」の真価を世に問う、いわば坂田の生涯を賭けた一生一代の対局であった。昭和の大棋戦だと、主催者の読売新聞も宣伝した。ところが、坂田はこの対局で「阿呆な将棋をさして」負けたのである。角という大駒一枚落しても、大丈夫勝つ自信を持っていた坂田が、平手で二局とも惨敗したのである。

　坂田の名文句として伝わる言葉に「銀が泣いてる」というのがある。悪手として妙な所へ打たれた銀という駒銀が、進むに進めず、引くに引かれず、ああ悪い所へ打たれたと泣いている。銀が坂田の心になって泣いている。阿呆な手をさしたという心になって泣いている――というのである。将棋盤を人生と考え、将棋の駒を心にして来た坂田らしい言葉であり、無学文盲の坂田が吐いた名文句として、後世に残るものである。この一句には坂田でなければ言えないという個性的な影像があり、そして坂田という人の一生を宿命的に象徴しているともいえよう。苦労を掛けた糟糠の妻は「阿呆な将棋をさしなはんなや。」という言葉を遺言にして死に、娘は男を作って駈落ちし、そして、一生一代の対局に「阿呆な将棋をさし」てしまった坂田三吉が後世に残したのは、結局この「銀が泣いてる」という一句だけであった。一時は将棋盤の八十一の桝も坂田には狭すぎる、といわれるほど天衣無縫の棋力を喧伝されていた坂田も、現在の棋界の標準では、六段か七段ぐらいの棋力しかなく、天才的棋師として後世に記憶される人とも思えない。わずかに「銀が泣いてる、坂田は生きてる」ということになるのだろう。しかし、私は銀が泣いたことよりも、坂田が一生一代の対局でさした「阿呆な将棋」を坂田の傑作として、永く記憶したいのである。

いかなる「阿呆な将棋」であったか。坂田は第一手に、九三の端の歩を九四へ突いたのである。平手将棋では第一手に、角道をあけるか、飛車の頭の歩を突くかの二つの手しかない。これが定跡だ。誰がさしてもこうだ。名人がさしてもヘボがさしても、この二手しかない。端の歩を突くのは手のない時か、序盤の駒組が一応完成しかけた時か、相手の手をうかがう時である。そしてそれも余程慎重に突かぬと、相手に手抜きをされる惧れがある。だから、第一手に端の歩を突くのは、まるで滅茶苦茶で、乱暴といおうか、気が狂ったといおうか、果して相手の木村八段（現在の名人）は手抜きをした。坂田は後手だったから、ここで手抜きされると、のっけから二手損になるのだ。攻撃の速度を急ぐ相懸り将棋の理論を一応完成していた東京棋師の代表である木村を向うにまわして、二手損を以て戦うのは、何としても無理であった。果してこの端の歩突きがたたって、坂田は惨敗した。が、続く対花田戦でも、坂田はやはり第一手に端の歩を突いた。こんどは対木村戦とちがって右の端の歩だったが、端の歩にはちがいはない。そして、坂田はまたもや惨敗した。そのような「阿呆な将棋」であった。

しかし、坂田の端の歩突きは、いかに阿呆な手であったにしろ、つねに横紙破りの将棋をさして来た坂田の青春の手であった。一生一代の対局に二度も続けてこのような手を以て戦った坂田の自信のほどには呆れざるを得ないが、しかし、六十八歳の坂田が一生一代の対局にこの端の歩突きという棋界未曾有の新手を試してみたという青春には、一層驚かされるではないか。端の歩突きを考えていた野心的な棋師はほかにもあったに違いない。花田八段なども先手の場合には端の歩突きも可能かも知れぬと、漠然と考えていたようだ。が、誰もそれを実験してみたものはなかった。まして、後手で大事な対局にそれを実験してみたものは、あとにも先にも坂田三吉ただ一人であった。この手は将棋の定跡というオルソドックスに対する坂田の挑戦であった。将棋の盤面は八十一の桝という限界を持っているが、しかし、一歩の動かし方の違いは無数の変化を伴って、その変化の可能性は、例えば一つの偶然が一人の人間の人生を変えてしまう可能性のように、無限大である。古来、無数の対局が行われたが、一つとして同じ棋譜は生れなかった。ちょうど、古来、無数の小説が書かれたが、一つとして同じ小説が書かれなかったのと同様である。しかし、この可能性に限界を与えるものがある。即ち、定跡というものであり、小説の約束というオルソドックスである。坂田三吉は定跡に挑戦することによって、将棋の可能性を拡大しようとしたのだ。相懸り法は当時東京方棋師が実戦的にも理論的にも一応の完成を示した平手将棋の定跡として、最高権威のものであったが、現在はもはやこの相懸り定跡は流行せず、若手棋師は相懸り以外の戦法の発見に、絶えず努力して、対局のたびに新手を応用している。が、六十八歳の坂田が実験した端の歩突きは、善悪はべつとして、将棋の可能性の追究としては、最も飛躍していた。ところが、顧みて日本の文壇を考えると、今なお無気力なオルソドックスが最高権威を持っていて、老大家は旧式の定跡から一歩も出ず、新人もまたこそとこの定跡に追従しているのである。

定跡へのアンチテエゼは現在の日本の文壇では殆んど皆無にひとしい。将棋は日本だけのものだが、文学は外国にもある。しかし、日本の文学は日本の伝統的小説の定跡を最高の権威として、敢て文学の可能性を追究しようとはしない。外国の近代小説は「可能性の文学」であり、いうならば、人間の可能性を描き、同時に小説形式の可能性を追究している点で、明確に日本の伝統的小説と区別されるのだ。日本の伝統的小説は可能性を含まぬという点で、狭義の定跡であるが、外国の近代小説は無限の可能性を含んでいる故、定跡化しない。「可能性の文学」はつねに端の歩が突かれるべき可能性を含んでいるのである。もっとも、私は六年前処女作が文藝推薦となった時、「この小説は端の歩を突いたようなものである。」という感想を書いたが、しかし、その時私の突いた端の歩は、手のない時に突く端の歩に過ぎず、日本の伝統的小説の権威を前にして、私は施すべき手がなかったのである。少しはアンチテエゼを含んでいたが、近代小説の可能性を拡大するための端の歩ではなかったのだ。当時、私の感想は「新人らしくなく、文壇ずれがしていて、顔をそむけたくなった。」という上林暁の攻撃を受け、それは無理からぬことであったが、しかし、上林暁の書いている身辺小説がただ定跡を守るばかりで、手のない時に端の歩を突くなげきもなく、まして、近代小説の端の歩を突く新しさもなかったことは、私にとっては不満であった。一刀三拝式の私小説家の立場から、岡本かの子のわずかに人間の可能性を描こうとする努力のうかがわれる小説をきらいだと断言する上林暁が、近代小説への道に逆行していることは事実で、偶然を書かず、虚構を書かず、生活の総決算は書くが生活の可能性は書かず、末期の眼を目標とする日本の伝統的小説の限界内に蟄居している彼こそ、文壇的ではあるまいか。

私は年少の頃から劇作家を志し、小説には何の魅力も感じなかったから、殆んど小説を読まなかったが、二十六歳の時スタンダールを読んで、はじめて小説の魅力に憑かれた。しかし「スタンダールやバルザックの文学は結局こしらえものであり、心境小説としての日本の私小説こそ純粋小説であり、詩と共に本格小説の上位に立つものである。」という定説が権威を持っている文壇の偏見は私を毒し、それに、翻訳の文章を読んだだけでは日本文による小説の書き方が判らぬから、当時絶讃を博していた身辺小説、心境小説、私小説の類を読んで、こういう小説、こういう文章、こういう態度が最高のものかというノスタルジアを強制されたことが、ますます私をジレンマに陥れたのだ。私は人間の可能性を追究する前に、末期の眼を教わってしまったのである。私は純粋小説とは不純なるべきものだと、漠然と考えていた。当時純粋戯曲というものを考えていた私は、戯曲は純粋になればなるほど形式が単純になり、簡素になり、お能はその極致だという結論に達していたが、しかし、純粋小説とは純粋になればなるほど形式が不純になり、複雑になり、構成は何重にも織り重って遠近法は無視され、登場人物と作者の距離は、映画のカメラアングルのように動いて、眼と手は互いに裏切り、一元描写や造形美術的な秩序からますます遠ざかるものであると考えていた。小説にはいかなるオフリミットもないと考えていた。小説は藝術でなくてもいいとまで考えたのだ。しかし、日本の文学の考え方は可能性よりも、まず限界の中での深さということを尊び、権威への服従を誠実と考え、一行の嘘も眼の中にはいった煤のように思い、すべてお茶漬趣味である。そしてこの考え方がオルソドックスとしての権威を持っていることに、私はひそかにアンチテエゼを試みつつ、やはりノスタルジア的な色眼を使うというジレンマに陥っていたのである。しかし、最近私は漸くこのオルソドックスに挑戦する覚悟がついた。挑戦のための挑戦ではない。私には「可能性の文学」が果して可能か、その追究をして行きたいのである。「可能性の文学」という明確な理論が私にあるわけではない。私はただ今後書いて行くだろう小説の可能性に関しては、一行の虚構も毛嫌いする日本の伝統的小説とはっきり訣別する必要があると思うのだ。日本の伝統的小説にもいいところがあり、新しい外国の文学にもいいところがあり、二者撰一という背水の陣は不要だという考え方もあろうが、しかし、あっちから少し、こっちから少しという風に、いいところばかりそろえて、四捨五入の結果三十六相そろった模範的美人になるよりは、少々歪んでいても魅力あるという美人になりたいのだ。

読者や批評家や聴衆というものは甘いものであって、先日私はある文藝講演会でアラビヤ語について話をし、私がいま読売新聞に書いている小説に出て来る「キャッキャッ」という言葉は実はアラビヤ語であって、一人寂しく寝るという意味を表現する言葉である、その昔アラビヤ人というものはなかなかのエピキュリアンであったから、齢十六歳を過ぎて一人寝をするような寂しい人間は一人もいなかった、ところが、ある時一人の青年が仲間と沙漠を旅行しているうちに仲間に外れてしまって、荒涼たる沙漠の夜を一人で過さねばならなかった、一人寂しく寝て、空を仰いでいると、星が流れた。青年は郷愁と孤独に堪えかねて、思わず一つの言葉を叫んだ、それが「キャッキャッ」というのである、それまでアラビヤには人間の言葉というものがなかった、だからこの「キャッキャッ」という言葉は、アラビヤではじめて作られた言葉であり、その後作られたアラビヤ語は、「アラモード」即ちモーデの祈りを意味する言葉を除けば、すべて「キャッキャッ」を基本にして作られている、「キャッキャッ」という言葉は実に人間生活の万能語であって、人間が生れる時の「オギャアッ」という言葉も人間が断末魔に発する「ギャッー」という言葉も、すべてみな「キャッキャッ」から出た言葉であって、一人寂しく寝るという気持が砂を噛む想いだといわれているのも、「キャッキャッ」という言葉がアラビヤ最初の言葉として発せられた時、たまたま沙漠に風が吹いてその青年の口に砂がはいったからだと、私は解釈している、更に私をして敷衍せしむれば、私は進化論を信ずる者ではないが、「キャッキャッ」という音は実は人類の祖先だと信じられている猿の言葉から進化したものである——云々と、私は講演したのだが、聴衆は敬服して謹聴していたものの如くである。恐らく講師の私を大いに学のある男だと思ったらしかったが、しかし、私は講演しながら、アラビヤに沙漠があったかどうか、あるいはまた、アラビヤに猿が棲んでいたかどうかという点については、甚だ曖昧で、質問という声が出ないかと戦々兢々としていたのである。ところが、その講演を聴いていた一人の学生が、翌日スタンダールの訳者の生島遼一氏を訪問して「キャッキャッ」の話をした。生島氏はアラビヤ語の心得が多少あったが、「キャッキャッ」という語はいまだ知らない。恐らく古代アラビヤ語であろう、アラビヤ語は辞典がないので困るんだ、しかし、織田君はなかなか学があるね、見直したよとその学生に語ったということである。読者や批評家や聴衆というものは甘いものである。

彼等は小説家というものが宗教家や教育家や政治家や山師にも劣らぬ大嘘つきであることを、ややもすれば忘れるのである。いくたびか一杯くわされて苦汁をなめながら、なおかつ小説家というものは実際の話しか書かぬ人間だと、思いがちなのである。髭を生やした相当立派な（髭を生やしたからとて立派ということにはなるまいが）大学教授すら、小説家というものはいつもモデルがあって実際の話をありのままに書くものであり、小説を書くためには実地研究をやってみなければならぬと思い込んでいるらしく、小説家という商売は何でも実地に当ってみなくちゃならないし、旅行もしなければならないし、女の勉強もしなければならないし、並大抵の苦労じゃないですなと、変な慰め方をするのである。私は辟易して、本当の話なんか書くもんですか、みな嘘ですよと言うと、そりゃそうでしょうね、やはり脚色しないと小説にはならないでしょう、しかし、吉屋信子なんか男の経験があるんでしょうな、なかなかきわどい所まで書いていますからね――と、これが髭を生やした大学の文科の教授の言い草であるから、恐れ入らざるを得ない。何がそうでしょうなだ、何が吉屋信子だ。呆れていると、私に阿部定の公判記録の写しを貸してくれというのである。「世相」という小説でその公判記録のことを書いたのを知っていたのであろう。私は「世相」という小説はありゃみな嘘の話だ、公判記録なんか読んだこともない、阿部定を妾にしていた天ぷら屋の主人も、「十銭藝者」の原稿も、復員軍人の話も、酒場のマダムも、あの中に出て来る「私」もみんな虚構だと、くどくど説明したが、その大学教授は納得しないのである。私は業を煮やして、あの小説は嘘を書いただけでなく、どこまで小説の中で嘘がつけるかという、嘘の可能性を試してみた小説だ、嘘は小説の本能なのだ、人間には性慾食慾その他の本能があるが、小説自体にももし本能があるとすれば、それは「嘘の可能性」という本能だと、ちょっとむつかしい言葉を使った。すると、はじめて彼は納得したらしかったが、公判記録には未練を残していた。

私は目下上京中で、銀座裏の宿舎でこの原稿を書きはじめる数時間前は、銀座のルパンという酒場で太宰治、坂口安吾の二人と酒を飲んでいた——というより、太宰治はビールを飲み、坂口安吾はウイスキーを飲み、私は今夜この原稿のために徹夜のカンヅメになるので、珈琲を飲んでいた。話がたまたま某というハイカラな小説家のことに及び、彼は小説を女を口説くための道具にしているが、あいつはばかだよと坂口安吾が言うと、太宰治は、われわれの小説は女を口説く道具にしたくっても出来ないじゃないか、われわれのような小説を書いていると、女が気味悪がって、口説いてもシュッパイするのは当り前だよ、と津軽言葉で言った。私はことごとく同感で、それより少し前、雨の中をルパンへ急ぐ途中で、織田君、おめえ寂しいだろう、批評家にあんなにやっつけられ通しじゃかなわないだろうと、太宰治が言った時、いや、太宰さん、お言葉はありがたいが、心配しないで下さい、僕は美男子だからやっつけられるんです、僕がこんなにいい男前でなかったら、批評家もほめてくれますよと答えたくらい、容貌に自信があり、林芙美子さんも私の小説から想像していた以上の、清潔な若さと近代性を認めてくれたのであるが、それにもかかわらず女にかけての成功率が殆んどゼロにひとしいのは、実は私の小説のせいである。同じ商売の林芙美子さんですら、五尺八寸のヒョロ長い私に会うまでは、五尺そこそこのチンチクリンの前垂を掛けた番頭姿を想像していたくらいだから、読者は私の小説を読んで、どんなけがらわしい私を想像しているか、知れたものではない。バイキンのようにけがらわしい男だと思われても、所詮致し方はないが、しかし、せめてあんまり醜怪な容貌だとは思われたくない。私は一昨日「エロチシズムと文学」という題で朝っぱらから放送したが、その時私を紹介したアナウンサーは妙齢の乙女で、「只今よりエロチ……」と言いかけて私を見ると、耳の附根まで赧くなった。私は十五分の予定だったその放送を十分で終ってしまったが、端折った残りの五分間で、「皆さん、僕はあんな小説を書いておりますが、僕はあんな男ではありません。」と絶叫して、そして「あんな」とは一体いかなることであるかと説明して、もはや「あんな」の意味が判った以上、「あんな」男と思われても構わないが、しかし、私は小説の中で嘘ばっかし書いているから、だまされぬ用心が肝腎であると、言うつもりだった。しかし、それを言えば、女というものは嘘つきが大きらいであるから、ますます失敗であろう。

だから、私は小説家というものが嘘つきであるということを、必要以上に強調したくないが、例えば私が太宰治や坂口安吾とルパンで別れて宿舎に帰り、この雑誌のN氏という外柔内剛の編輯者の「朝までに書かせてみせる」という眼におそれを成して、可能性の文学という大問題について、処女の如く書き出していると、雲をつくような大男の酔漢がこの部屋に乱入して、実はいま闇の女に追われて進退谷(きわ)まっているんだ、あの女はばかなやつだよ、おれをつかまえて離さないんだ、清姫みたいな女だよ、今夜はここへ匿まってくれと言うのを見れば、ルパンで別れた坂口安吾であった。おい、君たちこの煙草をやるよ、女がくれたんだよと、彼はハイカラな煙草をくれたが、私たちは彼がその煙草をルパンの親爺から貰って

いたのを目撃していた。坂口安吾はかくの如く嘘つきである。そして私は彼が嘘つきである
ことを発見したことによって、大いに彼を見直した。嘘つきでない小説家なんて、私にとっ
ては凡そ意味がない。私は坂口安吾が実生活では嘘をつくが、小説を書く時には、案外真面
目な顔をして嘘をつくまいとこれ努力しているとは、到底思えない。嘘をつく快楽が同時に
真実への愛であることを、彼は大いに自得すべきである。由来、酒をのむ日本の小説家がこ
の間の事情にうといことが、日本の小説を貧困にさせているのかも知れない。

日本の文壇というものは、一刀三拝式の心境小説的私小説の発達に数十年間の努力を集中
して来たことによって、小説形式の退歩に大いなる貢献をし、近代小説の思想性から逆行す
ることに於ては、見事な成功を収めた。

人間の努力というものは奇妙なもので、努力するという限りでは、ここ数年間の軍官民は
それぞれ莫迦は莫迦なりに努力して来たのだが、その努力が日本を敗戦に導くための努力で
あった如く、日本の文壇の努力は日本の小説を貧困に導くための努力であった。悪意はな
かったろうが、心境的私小説——例えば志賀直哉の小説を最高のものとする定説の権威が、
必要以上に神聖視されると、もはや志賀直哉の文学を論ずるということは即ち志賀直哉礼讃
論であるという従来の常識には、悪意なき罪が存在していたと、言わねばなるまい。

私はことさらに奇矯な言を弄して、志賀直哉の文学を否定しようというのではない。私は志賀直哉の新しさも、その禀質も、小説の気品を美術品の如く観賞し得る高さにまで引きあげた努力も、口語文で成し得る簡潔な文章の一つの見本として、素人にも文章勉強の便宜を与えた文才も、大いに認める。この点では志賀直哉の功を認めるに吝かではない。しかし、志賀直哉の小説が日本の小説のオルソドックスとなり、主流となったことに、罪はあると、断言して憚からない。心境小説的私小説はあくまで傍流の小説であり、小説という大河の支流にすぎない。人間の可能性という大きな舟を泛べるにしては、余りに小河すぎるのだ。けっして主流ではない。近代小説という大海に注ぐには、心境小説的という小河は、一度主流の中へ吸い込まれてしまう必要があるのだ。例えば志賀直哉の小説は、小説の要素としての完成を示したかも知れないが、小説の可能性は展開しなかった。このことは、小説というものについて、ことに近代小説の思想性について少しでも考えた人なら、誰しも気づいていた筈だが、最高の境地という権威がわざわいしたのと、日本の作家や批評家の中で多かれ少かれ志賀直哉の小説というより、その眼や境地や文章から影響を受けた者が多いという事情がわざわいして、小説を「即かず離れず」の藝術として既に形式の完成されたものと見る考え方が、近代小説の可能性の追求の上位を占めてしまったのである。そして、この事情は終戦後の文壇に於ても依然として続き、岩波アカデミズムは「灰色の月」によって復活し、文壇の「新潮」は志賀直哉の亜流的新人を送迎することに忙殺されて、日本の文壇はいまもなお小河向きの笹舟をうかべるのに掛り切りだが、果してそれは編輯者の本来の願いだろうか、小河で手を洗う文壇の潔癖だろうか。バルザックの逞しいあらくれの手を忘れ、こそこそと小河で手をみそいでばかりいて皮膚の弱くなる潔癖は、立小便すべからずの立札にも似て、百七十一も変名を持ったスタンダールなどが現れたら、気絶してしまうほどの弱い心臓を持ちながら、冷水摩擦で赤くした貧血の皮膚を健康の色だと思っているのである。「灰色の月」はさすがに老大家の眼と腕が、日本の伝統的小説の限界の中では光っており、作者の体験談が「灰色の月」になるまでには、相当話術的工夫が試みられて、仕上げの努力があったものと想像されるが、しかし、小説は「灰色の月」が仕上ったところからはじまるべきで、体験談を素材にして「灰色の月」という小品が出来上ったことは、小説の完成を意味しないのだ。いわば「灰色の月」という小品を素材にして、小説が作られて行くべきで、日本の伝統的小説の約束は、この小説に於ける少年工の描写を過不足なき描写として推賞するが、過不足なき描写とは一体いかなるものであるか。われわれが過去の日本の文学から受けた教養は、過不足なき描写とは小林秀雄のいわゆる「見ようとしないで見ている眼」の秩序であると、われわれに教える。「見ようとしないで見ている眼」が「即かず離れず」の手で書いたものが、過不足なき描写だと、教える。これが日本の文学の考え方だ。最高の境地だという定説だ。猫も杓子も定説に従う。亜流はこの描写法を小説作法の約束だと盲信し、他流もまたこれをノスタルジアとしている。頭が上らない。しかし、一体人間を過不足なく描くということが可能だろうか。そのような伝統がもし日本の文学にあると仮定しても、若いジェネレーションが守るべき伝統であろうか。過不足なき描写という約束を、なぜ疑わぬのだろう。いや「過不足なき」というが、果して日本の文学の人間描写にいかなる「過剰」があっただろうか。「即かず離れず」というが、日本の文学はかつて人間に即きすぎたためしがあろうか。心境小説的私小説の過不足なき描写をノスタルジアとしなければならぬくらい、われわれは日本の伝統小説を遠くはなれて近代小説の異境に、さまよいすぎたとでもいうのか。日記や随筆と変らぬ新人の作品が、その素直さを買われて小説として文壇に通用し、豊田正子、野澤富美子、直井潔、「新日本文学者」が推薦する「町工場」の作者などが出現すると、その素人の素直さにノスタルジアを感じて、狼狽してこれを賞讃しなければならぬくらい、日本の文学は不逞なる玄人の眼と手をもって、近代小説の可能性をギリギリまで追いつめたというのか。「面白い小説を書こうとしていたのはわれわれの間違いでした」と大衆文学の作家がある座談会で純文学の作家に告白したそうだが、純文学大衆文学を通じて、果して日本の文学に「アラビヤン・ナイト」や「デカメロン」を以てはじまる小説本来の面白さがあったとでもいうのか。脂っこい小説に飽いてお茶漬け小説でも書きたくなったというほど、日本の文学は栄養過多であろうか。

正倉院の御物が公開されると、何十万という人間が猫も杓子も満員の汽車に乗り、電車に乗り、普段は何の某という独立の人格を持った人間であるが、車掌にどなりつけられ、足を踏みつけられ、背中を押され、蛆虫のようにひしめき合い、自分が何某という独立の人格を持った人間であることを忘れるくらいの目に合って、死に物ぐるいで奈良に到着し、息も絶え絶えになって御物を拝見してまわり、ああいいものを見た、結構であったと、若い身空で溜息をついている。まことにそれも結構であるが、しかし、これが日本の文化主義というものであろうと思って見れば、文化主義の猫になり、杓子になりたがる彼等の心情や美への憧れというものは、まことにいじらしいくらいであり、私のように奈良の近くに住みながら、正倉院見学は御免を蒙って不貞寝の床に「ライフ」誌を持ち込んで、ジャン・ポール・サルトルの義眼めいた顔の近影を眺めている姿は、一体いかなる不逞なドラ猫に見えるであろうか。

ある大衆作家は「新婚ドライブ競争」というような題の小説を書くほどの神経の逞しさを持っていながら、座談会に出席すると、この頃の学生は朝に哲学書を読み、夕に低俗なる大衆小説を読んでいるのは、日本の文化のためになげかわしいというような口を利いて、小心翼々として文化の殉教者を気取るのである。一体どちらを読めというのか。いや、正倉院を見学しろと彼は返答するであろう。日本の藝術では結局美術だけが見るべきものであり、小説を美術品の如く観賞するという態度が生れるのも無理はない。奈良に住むと、小説が書けなくなるというのも、造型美術品から受ける何ともいいようのない単純な感動が、小説の筆を屈服させてしまうからであろう。だから、人間の可能性を描くというような努力をむなしいものと思い、小説形式の可能性を追究して、あくまで不純であることが純粋小説だという意味の純粋小説を作るのは、低級な藝術活動だと思い、作者自身の身辺や心境を即かず離れずに過不足なく描写することによって、小説を美術品の如く作ろうとし、美術品の如く観賞されることを、最高の目的とするのだ。私は彼等の素直なる、そしてただ素直でしかない、面白くないという点では殆んど殺人的な作品が、われわれに襟を正して読むことを強制しているという日本の文壇の、昨日に変らぬ今日の現状に、ただ辟易するばかりである。彼等の文学は、ただ俳句的リアリズムの短歌的なリリシズムに支えられ、文化主義の知性に彩られて、いちはやく造型美術的完成の境地に逃げ込もうとする文学である。そして、彼等はただ老境に憧れ、年輪的な人間完成、いや、渋くさびた老枯（ろうこ）を目標に生活し、そしてその生活の総勘定をありのままに書くことを文学だと思っているのである。しかも、この総勘定はそのまま封鎖の中に入れられ、もはや新しい生活の可能性に向って使用されることがない。彼等の文学のうち、比較的ましな文学の中には彼等がいかに生きて来たかということは書かれているだろうが、いかに生くべきかという可能性は描かれていない。桑原武夫が、日本の文学がつまらぬのは、外国の文学に含まれている人間がいかに生くべきかという思想がないからだという意味のことを言っていたが、結局それは私に解釈させれば、日本の伝統的小説には人間の可能性が描かれていないということだ。そしてこのことは、日本の伝統的小説が末期の眼を最高の境地として、近代藝術たる音楽よりも、既に発展の余地を失った古代造型美術を手本にして小説を作っている限り、当然のことである。志賀直哉とその亜流その他の身辺小説作家は一時は「離れて強く人間に即く」ような作品を作ったかも知れないが、その後の彼等の作品がますます人間から離れて行ったのは、もはや否定しがたい事実ではあるまいか。彼等は人間を描いているというかも知れないが、結局自分を描いているだけで、しかも、自分を描いても自分の可能性は描かず、身辺だけを描いているだけだ。他人を描いても、ありのまま自分が眺めた他人だけで、他人の可能性は描かない。彼等は自分の身辺以外の人間には興味がなく、そして自分の身辺以外の人間は描けない。これは彼等のいわゆる藝術的誠実のせいだろうか。それとも、人間を愛していないからだろうか、あるいは、彼等の才能の不足だろうか。彼等の技術は最高のものと言われているかも知れないが、しかし、いつかは彼等の技術を拙劣だとする時代が来ることを、私は信じている。

私はことさらに奇矯な言を弄しているのでもなければ、また、先輩大家を罵倒しようという目的で、あらぬことを口走っているのではない。昔、ある新進作家が先輩大家を罵倒した論文を書いたために、ついに彼自身没落したという話もきいている。口は禍の基である。それに、私は悪評というものがどれだけ相手を傷つけるものであるかということも知っている。私などまだ六年の文壇経歴しかないが、その六年間、作品を発表するたびに悪評の的となり、現在もその状況は悪化する一方である。私の親戚のあわて者は、私の作品がどの新聞、雑誌を見ても、げす、悪達者、下品、職人根性、町人魂、俗悪、エロ、発疹チビス、害毒、人間冒涜、軽佻浮薄などという忌まわしい言葉で罵倒されているのを見て、こんなに悪評を蒙っているのでは、とても原稿かせぎは及びもつくまい、世間も相手もすまい、十円の金を貸してくれる出版屋もあるまい、恐らく食うに困っているのだろうと、三百円の為替を送って来てくれた。また、べつの親戚の娘は、女学校の入学試験に落第したのは、親戚に私のような悪評嘖々（さくさく）たる人間がいるからであると言って、私に責任を問うて来た。ある大家が私の作品を人間冒涜の文学であり、いやらしいと言ったという噂が伝わった時、私は宿屋に泊っても変名を使った。悪評はかくの如く人の心を傷つける。だから、私は私を悪評した人の文章を、腹いせ的に悪評して、その人の心を不愉快にするよりは、その人の文章を口に極めてほめるという偽善的態度をとりたいくらいである。まして、枕を高くして寝ている師走の老大家の眠りをさまたげるような高声を、その門前で発するようなことはしたくない。

しかも敢えてこのような文章を書くのは、老大家やその亜流の作品を罵倒する目的ではなく、むしろ、それらの作品を取り巻く文壇の輿論、即ち彼等の文学を最高の権威としている定説が根強くはびこっている限り、日本の文壇はいわゆる襟を正して読む素直な作品にはことを欠かないだろうが、しかし、新しい文学は起こり得ない、可能性の文学、近代小説は生れ得ないと思うからである。私は日本文壇のために一人悲憤したり、一人憂うという顔をしたり、文壇を指導したり、文壇に発言力を持つことを誇ったり、毒舌をきかせて痛快がったり、他人の棚下しでめしを食ったり、することは好まぬし、関西に一人ぽっちで住んで文壇とはなれている方が心底から気楽だと思う男だが、しかし、文壇の現状がいつまでも続いて、退屈極まる作品を巻頭か巻尾にのせた文学雑誌を買ったり、技倆拙劣読むに堪えぬ新人の小説を、あれは大家の推薦だからいいのだろうと、我慢して読んでいる読者のことを考えると、気の毒になるし、私自身読者の一人として、大いに困るのである。これは文学の神様のものだから襟を正して読め、これは文学の神様を祀っている神主の斎戒沐浴小説だからせめてその真面目さを買って読め、と言われても、私は困るのである。考えてみれば、日本は明治以後まだ百年にもならぬのに、明治大正の作家が既に古典扱いをされて、文学の神様となっているのは、どうもおかしいことではないか。しかも、一たび神様となるや、その権威は絶対であって、片言隻句ことごとく神聖視されて、敗戦後各分野で権威や神聖への疑義が提出されているのに、文壇の権威は少しも疑われていないのは、何たる怠慢であろうか。フランスのように多くの古典を伝統として持っている国ですら、つねに古典への反逆が行われ、老大家のオルソドックスに飽き足らぬアヴァンギャルド運動から二百一人目の新人が飛び出すのではあるまいか。ジュリアン・バンダがフランス本国から近著した雑誌で、ヴァレリー、ジイド等の大家を完膚なきまでに否定している一方、ジャン・ポール・サルトルがエグジスタンシアリスム（実存主義）を提唱し、最近巴里で機関誌「現代」を発行し、巻頭に実存主義文学論を発表している。エグジスタンシアリスムという言葉は、巴里では地下鉄の中でも流行語になっているということだが、日本では本屋の前に行列が作られるのは、老大家をかかえた岩波アカデミズム機関誌の発売日だけである。日本もフランスも共に病体であり、不安と混乱の渦中にあり、ことに若きジェネレーションはもはや伝統というヴェールに包まれた既成の観念に、疑義を抱いて、虚無に陥っている。そのような状態がフランスではエグジスタンシアリスムという一つの思想的必然をうみ、人間というものを包んでいた「伝統」的必然のヴェールをひきさくことによって、無に沈潜し、人間を醜怪と見、必然に代えるに偶然を以てし、ここに自由の極限を見るのである。サルトルの「アンティミテ」（水いらず）という小説を、私はそんなに感心しているわけでもないし、むしろドイツのケストネルが書いたファビアンの方にデフォルムの新しい魅力を感ずるし、日本の実存主義運動などが、二三の反オルソドックス作家の手によって提唱されたとしたら、まことに滑稽なことになるだろうと思う。まして私たちが実存主義作家などというレッテルを貼られるとすれば、むしろ周章狼狽するか、大袈裟なことをいうな、日本では抒情詩人の荷風でもペシミズムの冷酷な作家で通るのだから、随分大袈裟だねと苦笑せざるを得ない。だいいち、日本には実存主義哲学などハイデガー、キェルケゴール以来輸入ずみみたいなものだが、実存主義文学運動が育つような文学的地盤がない。よしんば実存主義運動が既成の日本文学の伝統へのアンチテエゼとして起るとしても、しかし、伝統へのアンチテエゼが直ちに「水いらず」や「壁」や「反吐（へど）」になり得ないところが、いわば日本文学の伝統の弱さではなかろうか。フランスのようにオルソドックス自体が既に近代小説として確立されておればつまり地盤が出来ておれば、アンチテエゼの作品が堂々たるフォームを持つことが出来るのだが、日本のように、伝統そのものが美術工藝的作品に与えられているから、そのアンチテエゼをやっても、単に酔いどれの悔恨を、文学青年のデカダンな感情で告白した文学青年向きの観念的私小説となり、たとえば、肉体を描こうとしながら、観念的にしか肉体が迫って来ぬことになる。肉体を描いた小説が肉体的でない、――それほど日本の伝統的小説には新しいものをうみ出す地盤がなくて、しかも、権威だけは神様のように厳として犯すべからざるものだから、呆れざるを得ない。私が敢てサルトルを持ち出したのも、実はこのような日本文学の地盤の欠如を言いたいからである。

「水いらず」は病気のフランスが生んだ一見病気の文学でありながら、病気の日本が生んだ一見健康な文学よりも、明確に健康である。この作品の作られる一九三八年にはまだエグジスタンシアリスムの提唱はなかったが、しかし、人間を醜怪、偶然と見るサルトルの思想は既にこの作品の背景となっており、最も思考する小説でありながら、いかなる思想も背景に持たず最も思考しない日本の最近の小説よりも、思考の跡をとどめない。これは当然のことだが、しかし、これは日本の最近の小説を読みならされているわれわれには、異様な感さえ起させるのだ。「水いらず」は素直ではないが、素朴である。フランスのように人間の可能性を描く近代小説が爛熟期に達している国で、サルトルが極度に追究された人間の可能性を、一度原始状態にひき戻して、精神や観念のヴェールをかぶらぬ肉体を肉体として描くことを、人間の可能性を追究する新しい出発点としたことは、われわれにはやはり新鮮な刺戟である。人間の可能性は例えばスタンダールがスタンダール自身の可能性即ちジュリアンやファブリスという主人公の、個人的情熱の可能性を追究することによって、人間いかに生くべきかという一つの典型にまで高め、ベリスム、ソレリアンなどという言葉すら生れたし、またアンドレ・ジイドは「贋金つくり」によって、近代劇的な額縁の中で書かれていた近代小説に、花道をつけ、廻り舞台をつけ、しかもそれを劇と見せかけて、実はカメラを移動させれば、観客席も同時にうつる劇中劇映画であり、おまけにカメラを動かしている作者が舞台で役者と共に演じている作者と同時にうつっていて、あとで「贋金つくりの日記」のアフレコを行うというややこしい形式を試みてドストエフスキイにヒントを得た人間の対決の可能性を追究し、同時に、近代小説の形式的可能性をデフォルムした。が、サルトルはスタンダールやジイドの終った所からはじめず、彼等がはじめなかった所からはじめることによって、可能性の追究に新しい窓をあけたのだ。サルトルは絵描きが裸体のデッサンからはいって行くことによって、人間を描くことを研究するように、裸の肉体をモラルやヒューマニズムや観念のヴェールを着せずに、描いたのだ。そして、人間が醜怪なる実存である限り、いかなるヴェールも虚偽であり、偽善であるとしたのだ。日本の少数の作家も肉体を描く。しかし、描かれた肉体は情緒のヴェールをかぶり、観念のヴェールをかぶり、あるいは文学青年的思考のデカダンスが、描かれた肉体をだしにしているという現状では、やはりサルトルの「水いらず」は一つの課題になるかも知れない。新しい文学が起ろうとする時には必ず既成の「人間」という観念への挑戦が起り、頑固なる中世的な観念の鎧をたたきこわして、裸の人間を描こうとし、まず肉体のデッサンがはじまる。しかし、現在書かれている肉体描写の文学は、西鶴の好色物が武家、僧侶、貴族階級の中世思想に反抗して興った新しい町人階級の人間讃歌であった如く、封建思想が道学者的偏見を有力な味方として人間にかぶせていた偽善のヴェールをひきさく反抗のメスの文学であろうか、それとも、与謝野晶子、斎藤茂吉の初期の短歌の如く新感覚派にも似た新しい官能の文学であろうか、あるいは頽廃派の自虐と自嘲を含んだ肉体悲哀の文学であろうか、肉体のデカダンスの底に陥ることによってのみ救いを求めようとするネオ・デカダニズムの文学であろうか。サルトルは解放するが、救いを求めない。

いずれにしても、自然主義以来人間を描こうという努力が続けられながら、ついに美術工藝的心境小説に逃げ込んでしまった日本の文学には、「人間」は存在しなかったといっても過言でない以上、人間の可能性の追究という近代小説は、観念のヴェールをぬぎ捨てた裸体のデッサンを一つの出発点として、そこから発展して行くべきである。例えば、志賀直哉の文学の影響から脱すべく純粋小説論をものして、日本の伝統小説の日常性に反抗して虚構と偶然を説き、小説は藝術にあらずという主張を持つ新しい長編小説に近代小説の思想性を獲得しようと奮闘した横光利一の野心が、ついに「旅愁」の後半に至り、人物の思考が美術工藝の世界へ精神的拠り所を求めることによって肉体をはなれてしまうと、にわかに近代小説への発展性を喪失したのも、この野心的作家の出発が志賀直哉にはじまり、志賀直哉以前の肉体の研究が欠如していたからではあるまいか。だから、新感覚派運動もついに志賀直哉の文学の楷書式フォルムの前に屈服し、そしてまた「紋章」の茶会のあの饒慢(じょうまん)な描写となったのである。

思えば横光利一にとどまらず、日本の野心的な作家や新しい文学運動が、志賀直哉を代表とする美術工藝小説の前にひそかに畏敬を感じ、あるいはノスタルジアを抱き、あるいは堕落の自責を強いられたことによって、近代小説の実践に脆くも失敗して行ったのである。彼等の才能の不足もさることながら、虚構の群像が描き出すロマンを人間の可能性の場としようという近代小説への手の努力も、兎や虫を観察する眼にくらぶれば、ついに空しい努力だと思わねばならなかったところに、日本の藝術観の狭さがあり、近代の否定があつた。小林秀雄が志賀直哉論を書いて、彼の近代人としての感受性の可能性を志賀直哉の眼の中にノスタルジアしたことは、その限りに於ては正しかったが、しかし、この志賀直哉論を小林秀雄の可能性のノスタルジアを見ずに、直ちに志賀直哉文学の絶対的評価として受けとったところに、文壇の早合点があり、小林自身にも責任なしとしない。小林の近代性が志賀直哉の可能性としての原始性に憧れたことは、小林秀雄個人の問題であり、これを文壇の一般的問題とすることは、日本の文学に原始性に憧れねばならないほどの近代性がなかった以上、滑稽であり、よしんば小林秀雄の驥尾に附して、志賀直哉の原始性を認めるとしても、これは可能性の極限ではなく、むしろ近代以前であり、出発点以前であったという点に、近代を持たぬ現在のわれわれのノスタルジアたり得ない日本的宿命があるのである。

「可能性の文学」は果して可能であろうか。しかし、われわれは「可能性の文学」を日本の文学の可能としなければ、もはや近代の仲間入りは出来ないのである。小説を作るということは結局第二の自然という可能の世界を作ることであり、人間はここでは経験の堆積としては描かれず、経験から飛躍して行く可能性として追究されなければならぬ。そして、この追究の場としての小説形式は、つねに人間の可能性に限界を与えようとする定跡である以上、自由人としての人間の可能性を描くための近代小説の形式は、つねに伝統的形式へのアンチテエゼでなければならぬのに、近代以前の日本の伝統的小説が敗戦後もなお権威をもっている文壇の保守性はついに日本文学に近代性をもたらすという今日の文学的要求への、許すべからざる反動である。現在少数の作家が肉体を描くという試みによって、この保守性に反抗しているのは、だから、けっしてマイナス的試みではない。しかし、肉体を描くということは、あくまで終極の目的ではなくて単なるデッサンに過ぎず、人間の可能性はこのデッサンが成り立ってはじめてその上に彩色されて行くのである。しかし、この色は絵画的な定着を目的とせず、音楽的な拡大性に漂うて行くものでなければならず、不安と混乱と複雑の渦中にある人間を無理に単純化するための既成のモラルやヒューマニズムの額縁は、かえって人間冒涜であり、この日常性の額縁をたたきこわすための虚構性や偶然性のロマネスクを、低俗なりとする一刀三拝式私小説の藝術観は、もはや文壇の片隅へ、古き偶像と共に追放さるべきものではなかろうか。そして、白紙に戻って、はじめて虚無の強さよりの「可能性の文学」の創造が可能になり、小説本来の面白さというものが近代の息吹をもって日本の文壇に生れるのではあるまいか。

（『改造』一九四六年一二月）

# 〈対談〉可能性の文学

織田作之助　吉村正一郎

## 小説とエッセイについて

**吉村**　坂口安吾は、小説よりもエッセイの方が面白いね。

**織田**　彼のエッセイが面白いのは結局、きまりきった定説でものを言っていないからで、僕が何時も言う言葉だけど、作家は猫でもなければ杓子でもないのに、日本の作家は、猫も、杓子も言ったことを、一生懸命になって言ってる。ところが坂口安吾は、これは猫である、これは杓子である、とエッセイの中で、はっきり言ってる。それが面白いのじゃないですか。エッセイの書けない作家は駄目ですね。猫説、杓子説、つまり定説というものに反抗する、俺は猫でもなければ杓子でもないということを凡ゆる問題についてはっきりさせられないような連中は、作家としちゃ駄目だ。そういう作家はエッセイが書けないんだよ。

**吉村**　それはそうさ。坂口はなかなかの思想家だよ。君よりも思想家かも知れないね。小説の面白さから言うと、あなたの小説の方が面白いが、エッセイとなると彼の方が面白い。

**織田**　僕は昔から坂口のファンでね、戦争中から彼のエッセイに感心していました。

**吉村**　しかし、坂口の小説には、エッセイの中にあるものが存外出ていないね。つまりだね。小説はこういう風に書かないと小説にならぬとか、なるとか、いわゆる小説の型体というものを踏みはずさぬようにする。そんなことを考えてるのじゃないか。そもそも小説はだね、何もこれは私だけの考えじゃないけど、何をどう書いたっていいんだ。形式なぞはどうだっていい。そうじゃありませんか織田君。一昔前の作家は、「これは小説になる」とか、「これは書ける」とか、いうことをすぐ言った。逆に言えば、「これは小説にならぬ」、ということを考えた。つまり小説家は自分で自分の、オフ・リミットを設けていたんだね。もともと小説っていうものは、女子供の読みもので――こんなことを言うとご婦人方に怒られるかも知れないけど、元来はちゃんとしたお座へ出せるものではなかったんだね。それが近代になって、小説の品格というものが高められ、小説文学が藝術の主流を占めるようなことになったけど、もとをただせば娯楽よみものなのだ。そんなことは別にしても、韻文とか、音楽にくらべれば、至極雑駁なもので、どんなものをそこへ持ち込んでみたって、それをどんな形式で書いてみたって、一向差支えないのじゃないか。これは小説になるとか、ならぬとかいうのは、それからして既に小説の正体を知らないんだと思うね。美学のないということが小説の美学だよ。純粋小説というのは、最も不純なものでなくちゃならんわけですよ。

## 定型と偽善について

**織田**　だから坂口の場合は、彼は色々な定説を疑ってるでしょう。例えば、島崎藤村の小説を偽善だという理由で攻撃した。しかし、彼は小説のきまりきった形式というものに対して疑いを持とうとしないんですよ。

**吉村**　どうもそうらしいね。

**織田**　僕はそれが飽きたらんのだ。彼がエッセイで言ってることが小説にならないのは、小説家としての才能か或は自覚不十分のせいだろうと思うね。小説家としての才能は、これは小説になるとか、ならぬとかを考える才能じゃなくって、一行書くと、作家の感受性が動き出して、現実とは別の新しい人生を創りあげるという、一種の創造力ですね。大体日本の小説の形式は、自然主義小説以後一定のものが出来てるでしょう。志賀さんの小説なんか手本になってる。みんながこの形式を盲信している。何故盲信してるかというと、あれは、人間を過不足なく書ける一種の術だと思ってるからでしょう。たしかに志賀さんの場合は、人間をあれで過不足なく書けるという、人間観察力の秩序が、あの形式に現われていますね。しかしあれを模倣する亜流というものは、あの形式を一種の約束みたいに思って、この約束に従って書けば、人間を過不足なく書けると盲信してるんですね。ところが、僕はそれを一ぺん疑い出したらどうなるかやってみろ、といいたいですね。

**吉村**　僕は坂口の小説を、あまり読まずに言うのは無責任かも知れないけれど、もっと、彼の小説の形は、グロテスクになった方がいいのじゃないか。形が割に整いすぎてる。彼の考えてること、つまりエッセイで言ってることは、そんな形の整ったものじゃない。もっと、グロテスクなものですよ。近代藝術なものなんだ。古典主義的な、形の整った、外観の均斉といったものじゃないんだね。もっと、不細工なもの、デフォルマシオンなんだ。

**織田**　彼はああいう形式の小説を書いて、これでいいと思っているんですかね。

**吉村**　自分で恐らく満足しちゃいないと思います。

**織田**　ああいう題材を、ああいう風に突っ込んで書いたということだけで、満足をしてるんじゃないですか。もっと形式のデカダンスがなくっちゃだめだ。人間がこれで過不足なく書けるという既成のスタイル、一種の偽善のスタイルですね。坂口流に言えば偽善でしょう、その既成の偽善のスタイルが彼の小説でも使われてるという点に、彼の小説がエッセイよりも魅力が少い原因がある。太宰治の方が形式のデカダンスをやった方ですよ。

**吉村**　内容というものと、形式というものは不可分のもんだから、内容がデカダンスを意図してるならば、表現形式も、それにマッチしたものであってしかるべきで、その方がより魅力が加わると僕は思うんだ。ところが、形がちゃんとしてではどうもおもしろくないね。描写力というか、筆力というか、パッションというか、そういうものはたしかにある。あるけれども、それにも拘らず、魅力に乏しいというのは、あの形の上から来る感じが、大いに作用してるのじゃないかと思う。

**織田**　だから、問題は才能ですね。坂口がそれだけの才能があれば、今までにもっといい作品を書いてる人ですよ。あれだけ古くからものを書いてて、あれだけ人の言わないことを書いてるんだからね。

**吉村**　彼は小説を書く時にへんに真面目臭ってるのじゃないの？　エッセイを書く時には

切捨て御免で、何でも書いてやるぞという度胸を据えてやってる訳だが、小説を書く時には、もっともらしい顔をしてやってるんじゃない？

**織田** 文学には、人をもっともらしい顔にするだけの神聖なる権威みたいなもんがあって、無意識に作家を動かしてる訳ですね。僕なんかあんまり動かされない方ですが、なにもそんなもっともらしい顔をして、文学の使徒みたいな態度を取らなくてはならんというわけはないでしょう。文学の主人に仕える必要はない。

**吉村** 彼はやっぱり、文学の既製の神様を祀ってるね。自分が神様にならなくっちゃ駄目だ。

## 一流文学的なものの否定について

**織田** 僕はこの間、アヴァン・ギャルドの会で二流文学論を喋ったが、一流とか二流とかいう言葉を使ったので誤解を招いたけど、僕の言ったのは、一流文学へのノスタルジアが、案外借物の思想だということです。例えば批評家が批評をするときに、自分の考えよりも文学の名において批評をするんだね。一流文学を読んでるから自分が一流文学者のような顔をする。もっと突っ込んで言うと、裁判官は法律があるから、凡ゆる人間の欠点を裁くことが出来る。人間としては裁けないでしょう。それと同じことで、借物の文学的ノスタルジアがあるために、色々批評をしている。こういうノスタルジアを一遍捨てて自分で一から考えてみる、これが僕の二流文学論ですよ。今まで日本で、これがいい文学だぞという定説がおかすべからざる権威を持ってた。これが新しいデフォルマシオンの文学の発展を邪魔する。権威を楯に、よってたかって、そんなものは駄目だと言われると、折角、新しいことをやろうとしても、腰がくじけてしまうんだね。僕は志賀さんの文学を尊敬するし、人間も尊敬するんだけど、日本の作家は、志賀さんの影響を受けすぎていると思うよ。新しいことをやろうとする作家は、一応、志賀さんの影響から逃れようと踠(もが)いたに違いない。しかし結局、逃れられなかったんだ。志賀さんの人間観察力や個性、資質、品格はあれはあれで、立派なものには違いないんだけど、しかし、あの影響を一遍逃れないと、新しい文学は出ないのじゃないかと思いますね。志賀さんなどで代表されるああいう日本の文学ですね。ああいうものの神聖さというものを否定するのじゃないが、はっきり線を引いてですね、俺はああいう風な文学とは絶縁して、別の道へ行く、という考え方でゆけば、そこから今までにない新しい文学が出来る筈だ。よしんばそれが二流文学でもいい。二流文学者として徹して行こうというのです。

**吉村**　これから先も、日本の作家が年をとれば、志賀さんのような境地に辿りつくようにも思えるけど、しかしまた、僕は違ったようになって来るのじゃないかと思う。今までは大体、そうなるのが筋道だけど、これからは、もっと変って来やしない？　……もっと外国のものが入って来るでしょうからね。

**織田**　入って来ますね。ただ、今のところ若いジェネレーションは混沌としてるし、どういう文学がいいかということを自分の頭で考える前に、年輪的な人間完成――末期の眼としての文学、それを伝統として教えられるでしょう。さうすると、やっぱり志賀さんや秋聲のものが頭にこびりつくのじゃないですか。新しい外国文学が入って来た時に、いやげんに今、入りつつありますが、例えばサルトルの「アンチミテ」（水いらず）ね、僕はこれを秋聲の「縮図」と同時に読んだのですが、僕等がもってる日本文学の教養から言うと、「縮図」の方を高く買うですよ。一応はね。しかし、二者撰一を強いられて、どちらについてゆくかというと、僕等は、日本文学から教わって来て、僕等の教養として持ってる描写のうまさとか、小説の作り方のコツとか、作家としての境地、態度、老大家が辿り着いた末期の眼というような価値判断の方をいさぎよく清算して、サルトル文学の方へついて行くですね。しかし、日本の文学の考え方には、やはり、妙な権威がはびこっていて、サルトルのような作家が出て来ても、文壇進歩党の如きものがいて、そいつがけちをつけてしまう。サルトルなら尻もまくれるが、新人はなかなか尻がまくれない。だから新しいことをやろうとしてもこき下されると、あわてて毒を薄めるようになりますよ。ゆき過ぎだから、もう少し行儀正しくしようとしたり、文章のたたずまいを整えようとしたりする。茶室に入るような――茶室に入るのには下駄を脱いで入らなきゃならんでしょう。下足番に下駄を預けなきゃならん。文壇進歩党の下足番にね。そして、そこから下足札を貰ってお前は合格だ、という風な書き方をするようになる。日本家屋の構造というものは、土足の儘で入ってゆけば叱られるようになってますからね。

**吉村**　家屋の構造だけじゃなしに、風俗、習慣、これらがみな結びついていて、日本人の考え方をがんじがらめに縛りつけてるんだね。

**織田**　だから、坂口安吾みたいな人は、もっと土足のままのデカダンスを試みるべきですよ。

**吉村**　坂口は、やっぱり徳田秋聲の「縮図」などに感心をして、そこに引きずられてるところがあるのじゃないですか。

**織田**　あるですね。

**吉村**　それを突き破って、自分だけの方角に邁進するという気概が、一寸欠けているのじゃないですかな。

**織田**　小説ではそうですね。

**吉村**　だから、小説では思うようにやれんから、せめてエッセイを書く時だけは羽目をはずして、言いたい放題、勝手気儘を縦横無尽に言ってのけて、それで自分の気持の辻褄をつけて清算してるのじゃないかという気がするんだが……。それもいいが、しかしそんなことをしないで、自分の気持を清算するんだったら、いやしくも小説家たるからには作品の上で清算をしたらいいのであって、エッセイを書くな、というのじゃない、ますますお書きになった方がいいと思うけれども、何か小説とエッセイを区別してるような印象を受けるんだね。

**織田**　これは言い過ぎかもしれませんが、坂口安吾みたいに島崎藤村や横光さんをあんな風に攻撃するのは、くそ度胸や毒舌的な才能があれば……

**吉村**　易しいと言うのでしょうかな。

**織田**　だからね、僕は昔から彼に期待してるんだが、もし彼が島崎藤村に対決するんだったら、彼の作品で対決をしたらいい。

## ふたたびエッセイと小説について

**吉村**　お説の通りですね。しかし、一つにはこういうことがあるんじゃない？　僕は、エッセイっていうものが、文学の一つのジャンルとして、小説に席を譲るべきものとは思わんけど、日本じゃ、文学者の中に、エッセイは片手間の仕事で、本格的なものは小説であるという通念があるでしょう。その通念というものはおかしなもんだ、それがあるというのは、僕は変だと思うんだけどね。小説もエッセイも五分五分ですよ。僕はそう思う。西洋の場合だったら、モンテーニュにしても、ラムにしても、小説家より下だということはないですよ。ところが、日本ではそうなっておらんていうことは、やっぱり、今までに偉大なるエッセイストというものがおらんてことだ。枕草紙と徒然草ぐらいでね。そうすると、片手間仕事にするか、いわゆる随筆かだ。これは実に無内容な身辺雑記みたいなことが多い。寺田寅彦はべつですがね。それで今、思い出したんだが、葛西善蔵の小説を僕は相当高く評価をしてたけれども、彼の随筆を読むと、如何にもつまらんのだね。というのは、彼は小説を書く時には一生懸命に書いてるんだけれども、随筆を書く時には手を抜いて書いてるんだよ。だから一向につまらん。同じ作家が、小説を書けば相当なもんが書けるのに、随筆を書けば、こんな事を書くかと思う位、同一人が書いたとは思えないほどまずいことを書く。これは、やっぱり、エッセイというもののジャンルが、文学者の間に尊敬されていないということで、同時に、世間でも、エッセイというものを高く評価しなかったという、そういう風な習慣が、昔は知らんが明治大正以来日本にあつたからじゃないですか。

**織田** エッセイと小説のことで、いま頭にうかんだことですが、小説というものは、つまり、小説の約束というものがあって、それを知ってれば、一応曲りなりにも書けるでしょう。それと同時に小説というものは他人と同じことは書けないでしょう。筋も違うし、出て来る人間の名前も違うし、題も違う。何となく違うでしょう。他人と同じことは書けない。だから読めば、こういう話もあったのか、というので、一応は読めるでしょう。ね……？　ところが、エッセイになると、やはり日本の作家は、自分の言葉を持たない、というのはつまり、最大公約数的なものの言い方をして、誰も彼も似たり寄ったりなことを書くから、独創というものがない。だから、つまらない。坂口のエッセイの一応面白い所以ですよ。

## 描写と思想について

**吉村** それは、結局、何時も言うことになってしまうけども、作家に思想性がないからじゃないの？　簡単に言えば、作家がものを考えておらぬということですね。今までの作家は、廣津さんなどが、昔言ってて、今でも私は覚えてるのだけど、描写ということを唯一の目標にしている人が多い。描写がうまいとか、まずいとかいうことが、小説家の最大の資格であるという風に思い込んでる。これはやっぱりフランスあたりの自然主義小説を一知半解に解釈したので、そういう間違ったことになったんじゃないか。小説の本質というか、近代小説の近代小説たる所以を、本当に理解してたら描写がうまいとか、まずいとかいうことを、一番大切なことみたいに言うはずがない。

## 他人のいったことを繰返す馬鹿について

**織田**　その思想というものを、僕等に解釈させれば、その小説の中に、その作者か、今まで誰も言わなかったことを、どれだけ言ってるかということですね。例えば普遍的な人生とか何とか言ってるけど、こういうことはこういう結論になるとか、今まで色々なことを、色々な人が言って、定説になってる所謂普遍というやつにいくまいとする態度ですね。人類はじまって以来、さまざまな思想というものがあって、多くの文学者や哲学者が考えた結果を辿れば、一応、何とか言えますよ。しかし、今まで、他人が言ったことは放って置く。

もっとも人の言ったことでも、自分が何年も、何十年も宿命みたいに一生懸命に考えて来て、結局、同じ結論に達したというのだったら、書くけれども、誰かえらい奴がこう言ってるから、それは正しいことには違いないと、あわてて書くのは不見識ですよ。自分が発見したことだけが、作家にとって思想というものだと思いますね。

**吉村**　だから杜少陵(としょうりょう)はね、あれは詩人だけれども、「言々人を驚かさずんば、死すとも止まず」ということを言ってる。文学者たるもの、やまかんでは困るけど、それだけの気概は持つべきだと思うね。僕は一読者としてそれを希望したいね。誰かが前に言ったり、誰かが言いそうなことだったら、わざわざ書いて貰わなくてもいい。こっちも読むことを御免蒙るね。文学以外にも読みたいものはうんとあるんだから。

**織田**　「お前の言うことなんか、日本の文学には何の役にも立っておらん、お前の言うことはトルストイなんかの言葉と較べると、おかしくてきけるか」といわれても、「いや、俺は考えて来たのだ」ということが誰にも一つ位あるでしょう。

**吉村**　それを僕は期待します。雑誌の小説を、努めて読まうとして読みかけるが、どうも読む気になれんね。一頁ほど読んだら、やめてしまうことが多いよ。

**織田**　僕も読めない。

**吉村**　僕等は、それでは君はどう思うか、ということが聞きたいんだ。ところが、それが一向に書いてないんだね。そんなら、やめておこうということになる。こちとらは何も文学青年じゃないし、この年齢なってそんなものは読めないよ。つまらんと思ったことを読もうと思う根気も暇もないね。僕等は、作家に多くのことを要求しておらんのですよ。たとい、一句でも一行でもいいから、自分を酔わせてくれるか、或は覚醒させてくれてもいい、どっちでもいい。あとは寝言が書いてあっても満足もするし、作者に敬意を表する。ところが、そうでなしに、三級酒みたいな小説を書いて、これをお飲みなさい、と言われたら閉口するね。

**織田**　誰だって、天才になれと言ったって、なれません。僕は最近、つくづく思うんだけれども、僕に、誰も他人の言わなかったことで、たとえ一行でも、二行でも、三行でも、一つの単語でもいい、あるとすれば、これだけが、自分の、気障な言い方をすれば、作家としての存在の自己証明だと思う。そんな阿呆なことを言っていないで、と言われたって、生れてから今まで、もやもやと考えて来たことを捨てられやしませんよ。せめて、それが自分の特長ならば、――特長というものは、元来、歪んだもんですからね。それを物さしではかって、ここが歪んでるから正しくせよ、と規格型にしてしまうのはいやだ。日本の一流文学の考え方は、癖のあるスタイルや、特殊な言葉づかいをきらうけどね。

## デフォルマシオンとグロテスクについて

**吉村**　特殊な言葉を使うということは、グロテスクということで、一流文学じゃないということになりそうだけれども、近代藝術というものは、グロテスクとかデフォルマシオンとかいうことが一つの特色だと思う。

**織田**　日本の過去を未だに有難がってるという考え方ね。明治大正昭和の文学を古典として、神聖視して、襟を正して読むような考え方ね。こういうものから新しい芽というものは、絶対に出て来ない。日本の新しい文学は出て来ない。明治以前の文学も明治以後の文学も大した伝統にならないのに、伝統だ、伝統だと言って有難がってる。それに尻を向けて、つまり読まずに、いきなりサルトルを読んで、日本文学の伝統とはまるで違ったものでもいいから、それを無茶苦茶にやるというような作家の方を、僕等はこれから待望するね。

**吉村**　僕等は殊更に奇矯なことを言って、変なことを言いたがっている訳でも何でもないんだ。極めて簡単なことだけど、日本という国は亡びた。これは事実としてはっきり認めて貰いたいね。だから、亡びたんだから、イの一番から新規播き直しで、出直そうじゃないかということを言ってるだけで、なにも変なことなんか言ってるつもりじゃない。極めて穏健中正なことを言ってるんですよ。ところが日本が亡びたということがいまだにはっきり分らん人がある。

**織田**　たしかに亡びました。何も軍閥だけが、日本を亡ぼした訳じゃないが。

**吉村**　日本人が、よってたかって、大阪流に言うと「ソウヤソウヤ」と言って、亡ぼしてしまったんじゃないか。

**織田**　日本の文学だって、戦争中に便乗したとか、しないとかいうことでなしに、日本の文学の上で、指導者となってる作家というものは、そういう点において、責任がある訳ですよね。……そういう権威というものを無茶苦茶に疑ってみたらどうですか。白紙にかえって、何にもおまへんという所からね。第一、こんな混乱した世の中で、いまだに、たたずまいの正しい文章しか書かれていないのはおかしい。こんな世の中になって、日本が負けたのに、文章の句読点の切り方一つ変っていないじゃないか。新聞の見出しなら少しは変っているけれども、小説だけは、句読点の書き方も変らんし、形式も変らん、昔の儘じゃないか、妙な誠実を装ってるんですね。

## 想像力と体験について

**織田**　作家は何といっても、イマジネーションですよ。特攻隊のああいう経験というものは、人に語れぬ同情すべき経験だが、経験は文学じゃない。
**吉村**　ところが日本の文学観は、体験とか経験とかいうものがあれば、いい文学を生むという考え方が多いのですね。そして、今までの作家等を見てても、自分の経験を提げて登場する。それが種切れになってしまえば面白おかしくもなくなってしまうというのは、イマジネーションというものがないのだね。文学は想像力だ。
**織田**　あの小説はモデルがあるのか、ないのか、これは君の経験したことかと鬚を生やした大学の教授からでもよくきかれます。僕は嘘ばかし書いてるので返答に困る。「罪と罰」を読んだら、ドストエフスキーは人を殺したことはないけれども、小平みたいに沢山殺した者よりも、殺人の心理に徹していますからね。僕は、レアリズムが文学の唯一の精神という考え方は認めない。人間の生活というものは、あんまり、レアリズム過ぎますね。レアリズムから逃れようとするところに、文学があるのじゃないか。
**吉村**　実生活のレアリズムは、止む得ずそうなってるんですよ。我にもあらず、レアリズムになってるのですね。

## 可能性をためす文学について

**織田**　そういう約束を破る生活は実生活ではないけど、文学ではそれがやれるし、またそれをやるのが文学だ。外国文学にあって、日本文学に欠けたものを、桑原さんは、如何に生くべきかという思想だ、と云ってますね。僕の云い方でそれと同じようなことを言えば、日本の文学に欠けているのは人間の可能性だ。日本の私小説というものは、生活の総決算だけを書いて、人間にはどういう可能性があるかということを書かないんだね。

**吉村**　西洋の、フランスなどの近代小説は、人間の可能性を書くということを目標としていると思う。

**織田**　総決算か、可能性か……?

**吉村**　日本の作家は、評論家でもそうだけれども、ものを書くのは既に頭の中に出来ているものを清書している。

**織田**　だから、ゾラと違った意味で、人間はどれだけ可能性を示めせるかという実験小説、それは日本的レアリズムから離れてゆくけれども、これからの小説は、所謂心境小説でなしに、可能小説、実験小説ですね。志賀さんの文学、秋聲の文学というものは、誇張の無さというものが、比類なき完璧さに達している。しかし、これからの文学というものは、一種の誇張——自己主張であるべきですね。

**吉村**　僕は一言いっておきたいが、志賀さんという人は、今日においては、すでに古典的な作家だけれども、「暗夜行路」あれはあの時代における人間の可能性を書いている。だから、そういう意味で新しいと思う。西洋近代文学的だと思う。そして、将来における日本文学のゆく道をサジェストしている。久しく読まないが、僕は「暗夜行路」は一番好きだ。

**織田**　僕は志賀さんの文学そのものを、とやかく言ってるのじゃなしに、志賀さんの文学というものをめぐる一種の定説ですね。それを言ってるのですよ。「暗夜行路」の最後で、山に登ってゆく所があるでしょう。あれは可能性で、志賀さんはあそこで実験している。そういう意味で、あなたのいう、「新しいということ」、それは分ります。しかし、志賀さんが、実験をしておられるとか、可能性を書いておるとかいうこととまるきり違ったものが、定評になって志賀さんの文学を権威づけていますね。だから、志賀さん自身は未来に向って進んでゆく気持の人だけど……。そういう点で志賀さんの目というものは、前へ向いているが、しかし文壇進歩党は志賀さんを党首にいただきたがるから、問題はややこしくなり、弊害がある。

**吉村** それは僕も同感だ、しかし志賀さんは弊原みたいにヘンなものの党首にはならんでしょう。

追記　坂口安吾氏の小説がエッセイよりも面白くないという意見は、主として「白痴」「外套と青空」について述べられたものだが、その後同氏の近作二三を見るに、右の意見はひとまず撤回されなければならぬ必要を感じた。例えば「いづこへ」（「新小説」十月号所載）などは精神分析的な特異な作風を示し、将来の新文学を示唆するものとして興味が深い。（吉村）

**吉村正一郎**（よしむら・しょういちろう）＝一九〇四〜一九七七、フランス文学者。朝日新聞パリ特派員、戦後は京都市助役、奈良県教育委員長など。

# 大阪の可能性　大阪の言葉

大阪は「だす」であり、京都は「どす」である。大阪から省線で京都へ行く途中、山崎あたりへ来ると、急に気温が下って、ああ京都へはいったんだなと感ずるという意味の谷崎潤一郎氏の文章を、どこかで読んだことがあるが、大阪の「DAS」が京都の「DOS」と擦れ合っているのも、山崎あたりであり、大阪の「DAS」という音は、山崎に近づくにつれて、次第に「A」の強さが薄れて行き、山崎あたりでは「A」と「O」との重なり合った音になって、やがて京都へ近づくにつれて、「O」の音が強くなり、「DOS」となるのである。山崎あたりに住んでいる人たちの言葉をきいていると、「そうだす」と言っているのか、「そうどす」と言っているのか、はっきり区別がつかない。

字で書けば、「だす」よりも「どす」の方が、音がどぎついように思われる。「どす黒い」とか「長どす道中」とか「どすんと尻餅ついた」とか、どぎつくて物騒で殺風景な聯想を伴うけれども、しかし、耳に聴けば、「だす」よりも「どす」の方が優美であることは、京都へ行った人なら、誰でも気づくに違いない。いや、京都の言葉が大阪の言葉より柔かくて上品で、美しいということは、もう日本国中津々浦々まで知れわたっている事実だ。同時に大阪の言葉がどぎつく、ねちこく、柄が悪く、下品だということも、周知の事実である。

たしかに京都の言葉は美しい。京都は冬は底冷えし、夏は堪えられぬくらい暑くおまけに人間が薄情で、けちで、歯がゆいくらい引っ込み思案で、陰険で、頑固で結局景色と言葉の美しさだけと言った人があるくらい京都の、ことに女の言葉は音楽的でうっとりさせられてしまう。しかし、私は京都の言葉を美しいとは思ったが、魅力があると思ったことは一度もなかった。私にはやはり京都弁よりも大阪弁の方が魅力があるのだ。優美で柔い京都弁よりも、下品でどぎつい大阪弁の方が、私には魅力があるのだ。なぜだろう。

多くの作家が京都弁を使った小説を書いている。が、私にはどの作家の小説に書かれた京都弁も似たり寄ったりで、きまり切った紋切型であるような気がしてならない。これは私自身まだ京都弁というものを深く研究していないから、多くの作家の作品の中に書かれた京都弁の違いを、見分けることが出来ないのだろうとも、一応考えられるけれども、一つには、京都弁そのものが変化に乏しく、奥行きが浅く、ただ紋切型をくりかえしているだけにすぎないのではあるまいか。

もっとも、私はいつかあるお茶屋で、お内儀が藝者と次のような言葉をやりとりしているのを、耳にした時は、さすがに魅力を感じた。

「桃子はん、あんた、おいやすか、おいにやすか。オーさん、おいやすお言いやすのどっせ。あんたはん、どないおしやすか。」「お母ちゃん、あて、かなわんのどっせ。かんにんどっせ。」その会話は、オーさんという客が桃子という藝者と泊りたいとお内儀にたのんだので、お内儀が桃子を口説いている会話であって、あんたはここに泊るか、それとも帰るかというのを、「おいやすか、おいにやすか。」といい、オーさんは泊りたいと言っているというのを、「オーさん、おいやすお言いやすのどっせ。」という。その「I（アイ）」の音の積み重ねと、露骨な表現を避けたいいまわしに、私は感心した、そして桃子という藝者がそれを断るのを、自分は泊ることは困る、勘弁してくれという意味で「あて、かなわんのどっせ。かんにんどっせ。」と含みを持たせた簡単な表現で、しかも婉曲に片づけているのにも感心した。

それともう一つ私が感心したのは、祇園や先斗町等の柳の巷の藝者や妓たちが、客から、おいどうだ、何か買ってやろうかとか、芝居へ連れて行ってやろうかとか、こんどまた来るよ、などと言われた時に使う「どうぞ……」という言葉の言い方である。ちょっと肩を前へ動かせて、頭は下げたか下げないか判らぬぐらいに肩と一緒に前へ動かせ、そして「どうぞ……」という。「どう」という音を、肩や頭が動いている間ひっぱって、「ぞ」を軽く押える。この一種異色ある「どうぞ……」は「どう」の音のひっぱり方一つで、本当に連れて行ってほしいという気持やお愛想で言っている気持や、本当に連れて行ってくれると信じている気持や、客が嘘を言っているのが判っているという気持や、その他さまざまなニュアンスが出せるのである。ちょうど、彼女たちが客と道で別れる時に使う「さいなァら」という言葉の「な」の音のひっぱり方一つで、彼女たちが客に持っている好感の程度もしくは嫌悪の程度のニュアンスが出せるのと同様である。

しかし、それとても考えようによっては、京都弁そのものが結局豊富でない証拠で、彼女たちはただ教えられた数少い言葉を紋切型のように使っているだけで、ニュアンスも変化があるといえばいえるものの、けっして個性的な表現ではなく、又大阪弁の「ややこしい」という言葉のようにざっと数えて三十ぐらいの意味に使えるほどの豊富なニュアンスはなく、結局京都弁は簡素、単純なのである。
まるで日本の伝統的小説である身辺小説のように、簡素、単純で、伝統が作った紋切型の中でただ少数の細かいニュアンスを味っているだけにすぎず、詩的であるかも知れないが、散文的な豊富さはなく、大きなロマンや、近代的な虚構の新しさに発展して行く可能性もなく、いってみれば京都弁という身辺小説的伝統には、新しい言葉の生れる可能性は皆無なのである。京都弁はまるで美術工藝品のように美しいが、私にとっては大して魅力がない所以だ。

京都弁は誰が書いても同じ紋切型だと言ったが、しかし、大阪弁も下手な作家や、大阪弁を余り知らない作家が書くと、やはり同じ紋切型になってしまって、うんざりさせられる。新派の芝居や喜劇や放送劇や浪花節や講談や落語や通俗小説には、一種きまりきった百姓言葉乃至田舎言葉、たとえば「そうだんべ」とか「おら知ンねえだよ」などという紋切型が、あるいは喋られあるいは書かれて、われわれをうんざりさせ、辟易させ、苦笑させる機会が多くて、私にそのたびに人生の退屈さを感じて、劇場へ行ったり小説を読んだり放送を聴いたりすることに恐怖を感じ、こんな紋切型に喜んでいるのが私たちの人生であるならば、随分と生きて甲斐なき人生であると思うのだが、そしてまた、相当人気のある劇作家や連続放送劇のベテラン作家や翻訳の大家や流行作家がこんな紋切型の田舎言葉を書いているのを見ると、彼等の羞恥心なき厚顔無恥に一種義憤すら感じてしまうのだが、大阪弁が紋切型に書かれているのを見ても、やはり「ばかにするねい！」（大阪人もまた東京弁を使うこともある）と言いたくなる。彼等は紋切型の田舎言葉を書くように大阪弁を書いているのである。そして、日本の文藝にはこの紋切型が多すぎて、日本ほど亜流とマンネリズムが栄える国はないのである。

私はかねがね思うのだが、大阪弁ほど文章に書きにくい言葉はない。たとえば、大阪弁に「そうだ」という言葉がある。これは東京弁の「そうだ！」と同じ意味だが、ニュアンスが違う。「そうだ！」は「そうです」を乱暴に言った言葉だが、大阪弁の「そうだ」は「そうです」と全く同じ丁寧な言葉で、音も柔かで、語尾が伸びて曖昧に消えてしまう。けっして「そうだッ」と強く断定する言葉ではない。つまり同じ大阪弁の「そうだす」に当るのである。しかし「そうだす」と書いてしまっては、「そうだ」の感じが出ないし、といって「そうだ」と書けば東京弁の「そうだ！」の強い語感と誤解されるおそれがある。だから大阪弁の「そうだ」は文字には書けず、私など苦心惨憺した結果「そうだ（す）」と書いて、「そうだす」と同じ意味だが、「す」を省略した言葉だというまわりくどい説明を含んだ書き方でごまかしているのである。が、これとても充分な書き方ではなく、一事が万事、大阪弁ほど文章に書きにくい言葉はないのだ。

大阪弁が一人前に、判り易く、しかも紋切型に陥らずに書ければ、もうそれだけでも大した作家で逆に言えば、相当な腕を持っている作家でなくては、大阪弁が書けないということになる。いや、大阪弁だけではない、小説家は妙に会話の書き方を無視するが、会話が立派に書けなければ一人前の小説家ではない。無名の人たちの原稿を読んでも、文章だけは見よう見真似の模倣で達者に書けているが、会話になるとガタ落ちの紋切型になって失望させられる場合が多い。小説の勉強はまずデッサンからだと言われているが、デッサンとは自然や町の風景や人間の姿態や、動物や昆虫や静物を写生することだと思っているらしく、人間の会話を写生する勉強をする人はすくない。戯曲を勉強した人が案外小説がうまいのは、彼等の書く会話が生き生きしているからであろう。もっとも現在の日本の劇作家の多くは劇団という紋切型にあてはめて書いているのか、神経が荒いのか、書きなぐっているのか、味のある会話は書けない。若い世代でいい科白の書けるのは、最近なくなった森本薫氏ぐらいのものので、菊田一夫氏の書いている科白などは、森本薫氏のそれにくらべると、はるかにエスプリがなく、背後に作者のインテリゼンスが感じられず、たとえば通俗小説ばかり書いている人の文章が純文学の小説の文章とキメの細かさが違う程度に、キメの荒さが目立って、うんざりさせられる。シナリオ・ライターも同様で、日本の映画が見るに堪えぬ最大の原因は彼等の書く科白のまずさである。科白のまずいというのは、結局不勉強、仕事の投げやりに原因するのだろうが、一つには紋切型に頼っても平気だという彼等の鈍重な神経のせいであって、われわれが聴くに堪えぬエスプリのない科白を書いても結構流行劇作家で通り、流行シナリオ・ライターで通つているという日本の劇壇、映画界の低俗さには、言うべき言葉もない。しかし、文壇にしても相当怪しい会話を平気で書いている作家が多く、そのエスプリのなさは筆蹟と同じで、どうにもなおし難いものかも知れない。

文壇で、女の会話の上品さを表現させたら、志賀直哉氏の右に出るものがない。が、太宰治氏に教えられたことだが、志賀直哉氏の兎を書いた近作には「お父様は兎をお殺しなされないでしょう。」というような会話があるそうである。上品さもここまで来れば私たちの想像外で、「殺す」という動詞に敬語がつけられるのを私はうかつにも今日まで知らなかったが、これもある評論家からきいたことだが、犬養健氏の文学をやめる最後の作品に、犬養氏が口の上に飯粒をつけているのを見た令嬢が「パパ、お食事がついていてよ。」という個所があるそうだが「お殺し」という言葉を見ると、何かこの「お食事がついていているわよ。」を聯想させられるのである。

志賀直哉氏の文学のよさは相当文学に年期を入れたものでなくては判らぬのである。文学を勉強しようと思っている青年が先輩から、まず志賀直哉を読めと忠告されて読んでみても、どうにも面白くなくて、正直にその旨言うと、あれが判らぬようでは困るな、勉強が足らんのだよと嘲笑され、頭をかきながら引き下って読んでいるうちに、何だか面白くないが立派なものらしいという一種の結晶作用が起って、判らぬままに模倣して、第二の志賀直哉たらんとする亜流が続出するのである。「暗夜行路」の文章をお経の文句のように筆写して、記憶しているという人が随分いるらしく、若杉慧（けい）氏などは文学修業時代に「暗夜行路」を二回も筆写し、真冬に午前四時に起き、素足で火鉢もない部屋で小説を書くということであり、このような斎戒沐浴的文学修業は人を感激させるものだが、しかし、「暗夜行路」を筆写したり暗記したりする勉強の仕方は、何だかみそぎを想わせるような古い方法で、このような禁慾的精進はその人の持っている文学的可能性の限界をますます狭めるようなもので、清濁あわせのむ壮大な人間像の創造はそんな修業から出て来ないのではないかという気がする。寝転んで東西古今の小説を読み散らし、ころっと忘れてしまった人の方が、新しい文章が書けるのではあるまいか。手本が頭にはいりすぎたり、手元に置いて書いたり、模倣これ努めたりしている人たちが、例えば「殺す」と書けばいいところを、みんな「お殺し」と書いたりすれば、まことにおかしなことではないか。

話は外れたが、書きにくい会話の中でも、大阪弁ほど書きにくいものはない。大阪に生れ、大阪に育って小説を勉強している人でも、大阪弁が満足に書けるとは限らないのだ。平常は冗談口を喋らせると、話術の巧さや、当意即妙の名言や、駄洒落の巧さで、一座をさらって、聴き手に舌を巻かせてしまう映画俳優で、いざカメラの前に立つと、一言も満足に喋れないのが、いるが、ちょうどこれと同様である。しかし、平常は無口でも、いざとなればべらべらとこなして行くのが年期を入れた俳優の生命で、文壇でも書きにくい大阪弁を書かせてかなり堂に入った数人の作家がいる。

しかし、その作家たちの書いている大阪弁を読むと、同じ書き方をしている作家は一人もいない。大阪弁には変りはないのだが、文章が違うように、それぞれ他の人とは違った大阪弁を書いているのである。つまりそれだけ大阪弁は書きにくいということになるわけだが、同時にそれは大阪弁の変化の多さや、奥行きの深さ、間口の広さを証明していることになるのだろうと私は思っている。

たとえば、谷崎潤一郎氏の書く大阪弁、宇野浩二氏の書く大阪弁、上司小剣氏の書く大阪弁、川端康成氏の書く大阪弁、武田麟太郎氏の書く大阪弁、藤澤桓夫氏の書く大阪弁、それから私の書く大阪弁、みな違っている。いちいち例をあげてその相違をあげると面白いのだが、私はいまこの原稿を旅先で書いていて手元に一冊も文献がないので、それは今後連続的に発表するこの文学的大阪論の何回目かで書くことにして、ここでは簡単に気づいたことだけ言うことにする。

宇野浩二氏の作品でたしか「長い恋仲」という比較的長い初期の短篇は、大阪の男が自分の恋物語を大阪弁で語っている形式になっており、地の文も会話もすべて大阪弁である。谷崎潤一郎氏の「卍（まんじ）」もやはり、大阪の女が自分の恋物語を大阪弁で語っている形式である。この二つの大阪弁の一人称小説を比較してみると、語り手が一方は男であり、他方は女であるという相違だけではなく、まるで同じ土地の言葉とは思えぬくらい違っているのだ。「卍」はいつもの饒舌癖がかえって大阪の有閑マダムがややこしく入り組んだ男女関係のいきさつを判らせようとして、こまごまだらだらと喋っているという効果を出しているし、大阪弁も女専の国文科を卒業した生粋の大阪の娘を二人まで助手に雇って、書いたものだけに、実に念入りに大阪弁の特徴を生かそうとしているし、ことに大阪の女の言葉の音楽的なリズムの美しさはかなり生かされていて、この作品を全部大阪弁で書こうとした作者の意図は成功している。しかしこの小説の大阪弁は紋切型の大阪弁ではないまでも、何か標準型の大阪弁というような気がする。普通大阪の人たちが使っている大阪弁はもっと形のくずれたものであって、このような標準型の大阪弁で喋っている人は殆んどいない。これは美化され、理想化された大阪弁であって、隅から隅まで大阪弁的でありたいという努力が、かえって大阪弁のリアリティを失っているように思われる。その点宇野氏の「長い恋仲」は大阪弁の音楽的美しさは感じられないが、一種トボけた味がある。ことに、東京で美術学校生活を送ったことのある一種のインテリであり、藝術家であるという男が、独得の大阪弁で喋っているというところに面白さがあるが、しかし、この作品はまだ大阪弁の魅力が迫力を持っているとはいえず、むしろ「楽世家等」などの余り人に知られていない作品の中に、大阪弁の魅力が溌剌と生かされた例があるといえよう。大阪弁というものは語り物的な饒舌にそのねちねちした特色も発揮するが、やはり瞬間瞬間の感覚的な表現を、その人物の動きと共にとらえた方が、大阪弁らしい感覚が出るのではなかろうか。大阪弁は、独自的に一人で喋っているのを聴いていると案外つまらないが、二人乃至三人の会話のやりとりになると、感覚的に心理的に飛躍して行く面白さが急に発揮されるのは、私たちが日常経験している通りである。

谷崎氏の「細雪」は大阪弁の美しさを文学に再現したという点では、比類なきものであるが、しかし、この小説を読んだある全くズブの素人の読者が「あの大阪弁はあら神戸言葉や。」と言った。「細雪」は大阪と神戸の中間、つまり阪神間の有閑家庭を描いたものであって、それだけに純大阪の言葉ではない大阪弁と神戸弁の合の子のような言葉が使われているから、読者はあれを純大阪の言葉と思ってはならない。そういえば、宇野氏の「枯木の夢」に出て来る大阪弁はやはり純大阪弁でなくて大和の方の言葉であり、「人間同志」には岸和田あたりの大阪弁が出て来る。川端康成氏の「十六歳の日記」は作者の十六歳の時の筆が祖父の大阪弁を写生している腕のたしかさはさすがであり、書きにくい大阪弁をあれだけ写し得たことによってこの作品が生かされたともいえるくらいであるが、あの大阪弁は茨木あたりの大阪弁である。「細雪」の大阪弁、「人間同志」の大阪弁、「十六歳の日記」の大阪弁は、すべて純大阪弁より電車で三十分ぐらいの距離にある大阪弁であり、それがそれぞれはっきりと区別されるニュアンスの違いを持っているところに、大阪弁を書くむつかしさがあり、そしてまた、大阪の人たちがそれぞれの個性で彼等の言葉を独自に使っている点に、大阪弁が紋切型で書けない理由があるのだ。

言葉ばかりでなく、大阪という土地については、かねがね伝統的な定説というものが出来ていて、大阪人に共通の特徴、大阪というところは猫も杓子もこういう風ですなという固着観念を、猫も杓子も持っていて、私はそんな定評を見聴きするたびに、ああ大阪は理解されていないと思うのは、実は大阪人というものは一定の紋切型よりも、むしろその型を破つて、横紙破りの、定跡外れの脱線ぶりを行う時にこそ真髄の尻尾を発揮するのであって、この尻尾をつかまえなくては大阪が判らぬと思うからである。そして、その点が大阪の可能性であるというこの稿のテーマは、章を改めてだんだんに述べて行くつもりである。

（『新生』一九四七年一月）

# 文学的饒舌

（この雑誌で僕の頁を毎号用意して下さるらしいので、毎月何か書くことにする。小説や、まとまった評論は、べつに書く機会もあろうから、この頁では、雑談をする。僕は毎日誰かと会って文学的世間話をとりとめなく喋っている。書いている時は苦しいが、喋っている時はたのしい。忙しい時でも（僕は年中忙しいが）客をひきとめて喋っている。何を喋っているのか、次に断片的に書くようなことを、大体次のような順序で断片的に喋っているのだ。）

最近「世界文学」からたのまれて、ジュリアン・ソレル論を三十枚書いたが、いくら書いても結論が出て来ない。スタンダールはジュリアンという人物を、明確に割り切っているのだが、しかし、ジュリアンというのはどんな人物かと問えば「赤と黒」一巻を示すよりほかにスタンダールにも手はないだろう。ジュリアンを説明するのに「赤と黒」の何百頁かが必要だったわけだ。だから、三十枚の評論で結論が出る筈がない。結局、「赤と黒」を読み直すことがその都度の結論だが、僕は「ジュリアン・ソレル」という小説を書こうと思う。これは長いものになるが、今年中か来年のはじめには着手するつもりだ。僕の小説に思想がないとか、真実がないとか言っている連中も、これを読めば、僕が少くとも彼等よりもギリギリの人生を考えて来た男であることは判るはずだ。

人間的にいわゆる大人になることは作家として果して必要だろうか。作家の中には無垢の子供と悪魔だけが棲んでおればいい。作家がへんに大人になれば、文学精神は彼をはなれてしまう。ことに海千山千の大人はいけない。舟橋聖一氏にはわるいが、この人の「左まんじ」という文藝春秋の小説は主人公の海千山千的な生き方が感じられてがっかりした。丹羽文雄氏にもいくらか海千山千があるが、しかし丹羽氏の方が純情なだけに感じがいい。僕は昔から太宰治と坂口安吾氏に期待しているが、太宰氏がそろそろ大人になりかけているのを、大いにおそれる。坂口氏が「白痴」を書かない前から、僕は会う人ごとに、新人として期待できるのはこの人だけだと言って来たが、僕がもし雑誌を編輯するとすれば、まず、太宰、坂口の両氏と僕と三人の鼎談を計画したい。大井廣介氏を加えるのもいい。

文学雑誌もいろいろ出て「人間」など実にいい名だが、「デカダンス」というような名の雑誌が出てもいいと思う。

文学は文学者にとって運命でなければならぬ——と北原武夫氏が言っているのは、いい言葉で、北原氏はエッセイを書くと読ませるものを書くが、しかし、「天使」という北原氏の小説は終りまで読めなかった。「天使」には文学が運命になっている作家北原氏を感じさせないからだ。北原氏自身は、文学は自己の運命だと信じているのだろうか。信じているとすれば、それを感じさせない「天使」の弱さは、どこから来るのだろうか。北原氏が荷風以下多くの作家を時評で退ける時の強さを、いつ作品の上で示すのだろうか。たしかに、文学は文学者にとって唯一の人生であり、運命だ。たとえば、北原氏にとって運命であるように、荷風にとっても運命であろう。荷風の思想は低いかも知れぬが、北原氏の作品の方が思想的に高いとは思えぬ。そして荷風の方がすくなくとも運命的だ。荷風よりもドストイエフスキイの方が高く深く、運命的だ。判り切ったことだ。そして、判り切ったことを楯にものを言えば、颯爽としているというのが、作家であり同時に評論家であることのむつかしさになるのだと、僕は思う。だから、僕もひとのことを言うのはよそう。

僕は読売新聞に連載をはじめてから秋聲の「縮図」を読んだ。「縮図」は都新聞（今の東京新聞）にのった新聞小説だが、このようなケレンのない新聞小説を読むと、僕は自分の新聞小説が情けなくなって来る。「縮図」は「あらくれ」ほどの迫力はないが、吉田榮三の藝を想わせる渋い筆致と、自然主義特有の「あるがまま」の人生観照が秋聲ごのみの人生を何の誇張もなく「縮図」している見事さは、市井事もの作家の武田麟太郎氏が私淑したのも無理はないと思われるくらいで、僕もまたこのような文学にふとしたノスタルジアを感ずるのだ。すくなくとも秋聲の叫ばぬスタイル、誇張のない態度は、僕ら若い世代にとってかなわぬものの一つだ。しかし、文学の態度は、自然主義だけではない。文学というものは、結局誇張だと思うところから、ジタバタ書いて行くのが、若い世代の文学であろう。誇張ぎらいのスタンダールの「赤と黒」もスタンダールの自己主張と思えば、やはり一つの誇張だ。読売の僕の小説に、もし今までの作品とちがうものがあるとすれば、文学は誇張だとはっきり自覚した僕の若さが作品を燃えさせている点であると、うぬぼれている。この僕の考え方はまちがっているかも知れない。しかし「縮図」に対決するには、もうこの一手しかない。僕はこんどの読売では、今まで一時間足らずで書けた一回分にまる一晩費している。題を決めるのに一日、構想を考えるのに一日、たのまれてから書き出すまで二日しか費さなかったぐらいだから、安易な態度ではじめたのだが、八九回書き出してから、文化部長から、通俗小説に持って行こうとする調子が見えるのはいかん、調子を下すなと言われたので、決然として、この作品に全精力を打ちこむ覚悟をきめた。危いところだった。文化部長の注意がなければ僕は通俗小説を書いてしまったかも知れない。覚悟をきめてからは、毎晩徹夜でこの小説に掛りきりで、ヒロポンを注射する度数が今までの倍にふえた。何をそんなに苦労するかというと、僕は今まで簡潔に書く工夫ばかししていたので一回三枚という分量には困らぬはずだったのに、どうしても一回四枚ほしい。十行を一行に縮める今までの工夫が、こんどは一行を十行に書く努力に変って来たのだ。僕は今までの十行を一行に書くという工夫からうまれたスタイルの前に、書かねばならぬことも捨てて来た。これからは、今まで捨てたものを拾って行こうと思うのだ。しかも、一回三枚だ。三枚にきっちり入れるために、何度も書き直す。実に大変な苦労だ。この苦労が新聞が終るまで、いや、小説を書いている限り、毎晩つづくのだと思うと、悲壮な気持にさえなるが、しかしこれほど苦労しても、結局どれほどの作品が出来るのかと考える方が、はるかに悲しい。作家はみな苦労し、努力し、工夫し、真剣に書いているのだが、ふと東西古今の大傑作のことを考えると、苦労も努力も工夫もみな空しいもののような気がしてならない。しかし、それでも書きつづけて行けば、いつかは神に通ずる文学が書けるのだろうか。今は、せめて毀誉褒貶を無視して自分にしか書けぬささやかな発見を書いて行くことで、命をすりへらして行けばいいと思っている。もっとくだらぬ仕事で命をすりへらす人もあるのだから。

古今の大傑作を考えると、自作を語る気にもなれないが、もう一つ言うと、僕はちかごろ何を書いても、完結しないのだ。「世相」という小説は九十何枚かで一応結んだが、あの小説はあれから何拾枚もかきつづけられる作品だった。ダイスのマダムの妹を書こうというところで終ったが、あれは「世相」の中でさまざまな人間のいやらしさを書いて来た作者が、あの妹を見てはじめて清純なものに触れたという一種の自嘲だ。が、こんな自嘲はそもそも甘すぎて、小説の結びにはならない。

「世相」は書きつづけるつもりだ。

「競馬」もあれで完結していない。あのあと現代までの構想があったが、それを書いて行っても、おそらく完結しないだろう。僕は今まで落ちを考えてから筆を取ったが、今は落ちのつけられない小説ばかし書いている。因みに「世相」という作品は、全部架空の話だが、これを読者に実在と想わせるのが成功だろうか、架空と想わせるのが成功だろうか、むつかしい問題だ。

これからの文学は、五十代、四十代、三十代、二十代……とはっきりわけられる特徴をそれぞれ持つようになるだろう。目下のところ五十代はかわらず、四十代は迷い、三十代は無気力、二十代はブランク。四十代はやがて迷いの中から決然として来るだろうし、二十代はブランクの中から逞しい虚無よりの創造をやるだろうか、三十代はどうであろうか。三十代(僕もそうだが)は自分の胸に窓をあける必要がある。窓の中はガラン洞であってもいい。そのガラン洞を書けばいい。三十代は今まで自分に窓をあけるのを、警戒しすぎていた。これは三十代の狡(ずる)さだ。尻尾を見せることを、おそれてはならない。

新人が登場した時は、旧人は直ちに彼を酷評してはならない。むしろ多少の欠点（旧人から見れば新人はみな欠点を持っている）には眼をつむって、大いにほめてやることが、彼を自信づけ、彼が永年胸にためていたものを、遠慮なく吐き出させることになるのだ。起ち上りぎわに、つづけざまに打たれて、そのまま自信を喪失した新人が多い。新人を攻撃しつづけると、彼は自己の特徴である個性的表現を薄めようとする。だから、まず彼をほめ、おだてて、思う存分個性的表現を発揮させるがよい。けなすのは、そのあとからでもよい。由来、この国の人は才能を育てようとしない。異色あるものに難癖をつけたがる。異分子を攻撃する。実に情けない限りだ。もっとも甘やかされるよりも、たたかれる方が、たたかれた新人自身を強くすることもある。僕は処女作以来今日まで、つねにたたかれて来た。つねに一言の悪罵を以て片づけられて来た。僕の作品はバイキンのようにきらわれた。僕は僕の作品の一切の特徴を捨ててしまおうと思った。僕がけなされている時、同時にほめられている作家のような作品を書いてやろうとさえ思った。そのような作品を書くことは、僕には容易であった。しかし、また僕は思った。あんな作品がほめられているような文壇や、あんな作品に感心しているような人から、けなされて、参るのは情けないと。僕はたたかれても、けなされても、平気で書きつづけた。そして今日もなおその状態が変らない。僕は相変らずたたかれて、相変らず何くそと思って書いている。闘志で書いているようなものだ。東京の批評家は僕の作品をけなすか、黙殺することを申し合わしているようだ——と思うのは、僕のひがみだろうが、しかし、僕は酷評に対してはただ作品を以て答えるだけだ。僕は自分の文学にうぬぼれているわけではないが、しかし、「世相」や婦人画報の「夜の構図」などの作品が、もし僕以外の作家によって書かれたとしたら、誰も「悪どい」という一語では片づけなかっただろう。むろんこれらの作品は低俗かも知れない。しかし、すくなくとも反俗であり、そして、よしんば邪道とはいえ、新しい小説のスタイルを作りあげようという僕の意図は、うぬぼれでなしに、読みとれる筈だ。しかし、僕はこのようなスタイルが黙殺されたことを、悲しまない。僕はさらに新しいスタイルをつくるために努力し、そして、この努力は彼等を納得せしめるまで続けるつもりだ。しかし、僕は何も彼等を納得させるためにのみ書くのではない。

この国には宗教はない。だから、大文学が生れぬという説はもはや異論の余地がない。が、宗教の勢力の盛んだった中世ヨーロッパにどれだけの大文学があったか。むしろ宗教との対決、作家が神の地位を奪おうとした時に、大文学が生れた。と、こんなことを言っても、何にもならない。ただ、僕はこの国に宗教のないことを、文学のためにそんなに悲しまないが、宗教との対決にまで行く作家のいないことは悲しむ。やはり、宗教、ことにキリスト教は、これからの作家にとっての大問題だろう。僕は——といえば、急に問題が卑小化して恐縮だが、キリスト教はまだつかめぬが、キリスト教の信者（僕の知る限りだが）の言葉の空しさだけはつかんだと思っている。（九月十四日）

（『文学雑誌』一九四七年二月）

# 【解説】織田作之助の文学論

斎藤理生

織田作之助。

この作家の名前を目にして思い浮かぶのは「大阪」でしょうか。それとも「無頼派」でしょうか。

作之助は一九一三（大正二）年に大阪で生まれ、大阪に生き、一九四七（昭和二二）年に亡くなるまで、大阪を舞台にした作品を数多く書きました。一九四〇年に発表された出世作

『夫婦善哉』は没後、一九五五年に映画化されたことも手伝って、多くの人に知られていま す。『わが町』『木の都』『アド・バルーン』など、在りし日の大阪の風景を想い起こさせる小説もあります。大阪の魅力を語ったエッセイも多く、作之助は「オダサク」という愛称で、今も近代大阪の代表的な作家として認知されています。法善寺横丁の「夫婦善哉」や千日前の「自由軒」、「波屋書房」など、作之助ゆかりの店も健在です。

一方で、文学史に関わる本を開けば、敗戦直後に華々しい活躍をした作家として、太宰治、坂口安吾らと共に「新戯作派」「無頼派」の作家として記載されています。そこで代表作として挙がるのは、敗戦の年の歳末を複雑な形式で描いた『世相』、「読売新聞」に連載されて話題を呼んだものの作之助が倒れたことで中絶してしまった『土曜夫人』など、一九四六年に書かれた作品です。作之助自身が生前に「無頼派」と名乗ったり、呼ばれたりしたわけではありません。しかし四六年に流行作家として注目されていたこと、作之助の最晩年に二度ひらかれた座談会で三人が意気投合していること、太宰や安吾が追悼文を書いたこと、その中で「死ぬ気でものを書き飛ばしている男」(太宰治「織田君の死」)と表現されたことなどが、このようなイメージの母体となっているようです。

こうした理解が作之助の知名度を上げて、今日まで記憶される作家にしていることは間違いありません。けれども、「大阪」「無頼派」として知られ過ぎていることが、かえって色眼鏡で見ることになり、文学者としての作之助を捉えにくくしてしまった面もあるのではないでしょうか。

織田作之助は、いわゆる純文学に固執した作家ではありませんでした。新聞小説をいくつも引き受け、「キング」や「オール読物」といった娯楽雑誌にも書き、「婦人画報」のような婦人雑誌にも連載を持っていました。また、もともと劇作家志望で、溝口健二やマキノ雅弘の依頼で映画のシナリオを手がけたり、ラジオドラマ『猿飛佐助』で放送賞を得たりした作家でもありました。

作之助は多彩なジャンルで活躍をした作家であり、小説という表現手段を外から見る視線を持っていたのです。だからこそ小説ではしばしば、小説だからできること、小説でしかできないことを試みました。また、読んでもらうからには、面白い作品を書くことにこだわりました。

一九四六年末に発表した評論「可能性の文学」は、そうした作之助を代表する、また集大成となる文学論でした。発表直後から文壇で話題を呼んだものの、作之助は翌年一月一〇日に亡くなります。それでも「可能性の文学」は、作之助没後もさまざまな議論の呼び水となり続けました。当初は主に「小説の神様」と呼ばれた志賀直哉に対する大胆な批判で注目されましたが、文学の可能性としての「嘘」の追究、サルトルの受容、面白い小説へのこだわりといった論点を中心に、作之助が提起した問題は、戦後文学や中間小説に受け継がれていきました。

ただ忘れてはいけないのは、「可能性の文学」が鮮烈な印象を与えたとはいえ、そこで語られている文学的な主張を、作之助は最晩年に急に訴え始めたわけではない、ということです。「可能性の文学」は一夜にしてなったわけではありません。むしろ作之助は、デビューしてから晩年にいたるまで「可能性の文学」に通じる批評や随想を書き続けていたのです。

本書には、作之助の文学的な主張がはっきりとわかる随想や評論が、発表順に収められています。これらを読めば、作之助が決して長くない執筆活動の中でくり返していた主張に一貫するものがあり、それが「可能性の文学」に結実してゆく過程を確かめられるはずです。そのような読書を通じて、「大阪」や「無頼派」だけではない文学者としての織田作之助、その論客としての魅力を知ってもらいたいと思います。

なお、いずれの文章も仮名づかいは現代のものに改めていますが、本文は初出に拠っています。明らかな誤字・脱字以外には手を加えていません。また、※を付けているものは、従来の全集に収録されていない文章です。

「小説の藝」は、作之助がまだ全国的に名前を知られる前に、大阪の出版社の依頼で書かれた文藝時評です。出発期の作之助が里見弴、宇野浩二、武田麟太郎、高見順といった先を行く作家たちの「話術」に強い関心を持っていたことがわかります。高見の饒舌に触れる際に、饒舌体の元祖とも言うべき宇野浩二の語り口を真似てみせているように、作家各々の「話術」の重要性について語る自らのこの文章においても「話術」を工夫している点には、小説の面白さを面白く語ろうとした「可能性の文学」の萌芽が早くも表れています。

「小説の思想」は、改造社から出ていた文藝雑誌『文藝』が募った「文藝推薦」賞を受賞した注目の新人として「大阪朝日新聞」に執筆の機会を与えられた際に書かれた評論です。「小説の中の思想」と「小説の思想」とを区別し、あくまで後者を重視する。この主張を、作之助はこの時期くり返します。登場人物たちの性格や思想よりも、小説という表現をどのようなものとして把握するかという問題に重きを置くのです。「虚構」「嘘」を通じて真実を捉えるという「可能性の文学」の課題が既に意識されていることもわかります。

「感想」※は、同人雑誌『海風』に発表した『夫婦善哉』で、「文藝推薦」賞を受賞した際に求められた随想です。この文章と「可能性の文学」とでは、後者で自ら述べているように、「端歩」に託した意味は異なります。ただ、小説の作り方の問題を、将棋になぞらえて語ろうとする姿勢が、作家としての最初期からあったことがわかります。

同時期に作之助は、『夫婦善哉』に代表される「年代記もの」と呼んでいた小説をまとめていました。この一九四〇年に『夫婦善哉』や『放浪』などを書いた筆で、二年前に発表した『雨』や前年に発表した『俗臭』といった過去の作品も「年代記」風に改稿し、四〇年八月に単行本『夫婦善哉』に収録します。しかし「感想」からは、そのように得意なスタイルを固めていった時期に、早くもその限界を感じつつもあったことがわかります。一方で、藤澤桓夫のような経験豊かな作家との交友をちらつかせたことが、新人らしからぬ態度として反感を買うことにもなりました。

「小説の本質」※は、関西学院大学の学生新聞からの依頼で書かれた評論です。虚構と現実とを直接的に比べることを不毛として、活字の組み合わせだけで表現を形作る点に、小説ならではの特徴を見ています。志賀直哉の発言への共感から説き起こしている点は、「可能性の文学」から隔たっているようにも思われます。が、むしろ晩年の批判は、志賀その人というより、志賀を神として祭り上げる人々に向けられた批判だったことが、こうした文章からもうかがえます。一方で、決まり切った尺度で小説を裁断する評論家への不信は徹底しています。

「二十代の文学」は、一九四一年初頭に、半年前「文藝推薦」賞を競った他の新進作家たちと共に「若き世代の主張」という題目で文学的な主張の場を与えられた際の随想です。若者らしくない、思想がないといった批判を受けて、むしろその欠落に今の若者らしさがあると主張しています。この逆説は、戦後に書かれた小説『世相』の「私」によっても語られています。新人たるもの既成文壇の「鬼子」としてあるべきだ、という距離の置き方も、作之助に一貫するスタンスです。

「大阪の感覚」※は、溝口健二に頼まれて、映画のシナリオを書いていた時期の随想です。残念ながらこの映画は実現しませんでしたが、戦後に盟友・川島雄三が『わが町』として映像化しました（一九五六年）。作之助の映画観もさることながら、自らの創作方法を分析している点も見逃せません。一例として、説明するのではなく見せようとする姿勢は、作之助の作風をよく物語っています。

「雷の記」は、同人雑誌「大阪文学」に二ヶ月間にわたって掲載された評論です。かつてプロレタリア文学の詩人・小説家であった田木繁をはじめ、他の文学者との応答を通じて、自らの文学的主張を鍛えていっている様子がわかります。生身の作家の生活と作品の価値とを区別すること、書かれた作品がすべてであること、符合や理論や観念を忌避することなどは、「可能性の文学」の土台となります。

「東京文壇に与う」は、大阪在住の作家の立場から、東京中心の文壇やその偏見を批判した評論です。東京で活動する文学者の傲慢や無理解を非難しているようですが、根底にあるのは、既成の枠組みに追従する作家たちへの苛立ちです。その苛立ちは、将棋の話から説き起こす構成と共に「可能性の文学」に引き継がれます。神田辰之助の名人挑戦から坂田三吉の端歩に話の起点が変わったのは、定石や権威への挑戦という主題をより明確にするためでしょう。

「吉岡芳兼様へ」は、同人雑誌「大阪文学」誌上で、吉岡の質問と、それ対する作之助の回答とが、往復書簡の形式で載せられた際の文章です。一九四三年に発表した短篇『聴雨』や『道』などに対する吉岡の素朴な疑問に対して、丁寧に自作を解説しています。たとえば色彩を対照的に用いようとしていた細かな技術や、この時期には作風を変えるため、一人称の語りを導入しようとしていたことは、作之助の小説を読む参考になるでしょう。「私」が介入するために話の流れが滞っている場合でも、それはあえて停滞させる効果をねらっていたというのです。

「一流の鑑賞」※は、戦争末期の「大阪新聞」の「反省」という題のコラム欄に掲載された文章です。戦後「二流主義」を標榜したことで有名な作之助が、この時期には「一流」の重要性を熱心に説いていることが注目されます。ただそれは矛盾ではないでしょう。むしろ「二流」たらんとしたことは、こうした「一流」への強い憧れ（作之助の言葉を使えば「ノスタルジア」）に支えられているはずです。それは大阪を愛しながらも東京にこだわったこと、サルトルに関心を寄せながらもスタンダールに惹かれ続けたことと似ています。

「映画と文学」は、二つの表現形式のちがいを、主に「写実」をめぐって考えた評論です。伝統的な日本文学の描写方法に一定の評価を与えつつ、写実だけではいけない、そもそもカメラで大写しにすればリアルになるわけではない、ならば写実とは何であろうか……と踏みこんでゆくのが作之助の特徴です。作家のリアリズム観がうかがえることにくわえて、映画ならではの「嘘」への着眼は、「可能性の文学」と密接に関わります。「小説では表現出来ぬこと」を試みたという、映画シナリオ執筆の楽屋裏を明かしている点も貴重です。

「面上の唾」※は、敗戦まで一年を切った時期に書かれた文章です。私小説が流行し、「ロマン」が失われている文壇の現状を自己批判しつつ嘆く。戦後に書かれた作品・評論の主張が既に表れています。こうした戦中と戦後との連続性が、作之助が戦後にいち早くスタートを切れた理由でもあるはずです。また、この文章に顕著なように、自分が批判した内容は誰よりも先に自分に降りかかってくるのだという認識は、作之助の評論に通底しているように思われます。

「世相と文学」※は、新興夕刊紙「夕刊新大阪」に発表された評論です。戦後になってまだ半年の時点ですが、未曾有の混乱期において文壇が何も変わっていないこと、世相の変化に対して創作の変化が遅れていることへの不満が語られています。この不満は「可能性の文学」にも続いています。敗戦後の世をどのように書き表すかは『世相』の作者にとって切実な課題で、『郷愁』のような同時期の私小説的な作品にも描かれています。また、世相やそれを報じる新聞記事に強い関心を示していることも注目されます。作之助はこの後に書く小説で、そうした新聞記事を積極的に取りあげることになります。

「坂田三吉のこと」※は、長篇『夜光虫』を連載していた「大阪日日新聞」に書かれた、坂田三吉への追悼文です。「可能性の文学」の前半とほぼ同じ話題を扱っていますが、ここでは坂田の話に終始しています。そのため比較することで、「可能性の文学」ではどのように自分の文学的な主張のために坂田の逸話を使っているのかが見えやすくなります。真っ先に気づくのは、この追悼文では「端歩」より「銀が泣いてる」の方を強調していることです。「可能性の文学」は、既成の枠組みへの挑戦という主張のために、坂田の手の中でも「端歩」が強く押し出されたのでしょう。

「肉声の文章」も新興夕刊紙に発表された評論です。もっともらしいことをもっともらしく語ったコチコチの言葉を否定し、小林秀雄、永井荷風、アンドレ・ジッドらの、その人ならではの「声」の重要性を語っています。スタイルや話術を重視し続けた作之助らしい見方です。

「西鶴の眼と手」は、井原西鶴に傾倒し、戦時中に『西鶴新論』を書いた著者が、戦後における西鶴の意義を語った評論です。タイトルにもなっている「西鶴はリアリストの眼を持っていたが、書く手はリアリストのそれではなかった」という指摘は、作之助が西鶴を語るときに必ず出す一文です。客観的な眼で捉えた現実の一断面を、表現するにあたってはリアリズムに頼らない、というのは作之助自身のスタイルでもありました。「可能性の文学」において「純粋小説」について語る部分で「眼と手は互いに裏切り」と足早に述べているややわかりにくい一節も、このスタイルを指しているのでしょう。

「私の文学」も「夕刊新大阪」に発表された評論です。この四六年に多くの作品を発表し続けていた渦中で、作家が自身にマンネリズムを感じ、次のステップに向かおうとしていることがわかります。「永久に小説以外のことしか考えない人間でありたい」という主張は、「無頼派」としての作家像にふさわしいものでしょう。

「ジュリアン・ソレル」は、作之助が西鶴と並んで強く傾倒したスタンダールの『赤と黒』の主人公を中心に論じた評論です。本文で自ら述べているように、作之助は作品にしばしばジュリアン・ソレルに擬した人物を登場させました。「二流」の作家として開き直ることを訴えていた時期に、「一流」のこの作品を丁寧に鑑賞していた点も重要です。

「二流文楽論」は、庶民の楽しみである文楽を観念的に「一流」藝術として持ち上げる人々への批判から始まり、文楽から文学の話へとスライドし、日本に限らず、現代の作家は遂に一九世紀西欧の作家のような「一流」たり得ないのだから、「二流」に開き直った文学を試みてゆくべきだと訴えた評論です。その既成文壇への挑発的な批判は、二箇月後に同じ雑誌に発表された「可能性の文学」の前奏曲となっています。『改造』という総合誌の性格を意識してか、文壇外の読者も関心を持つような話題から説き起こしつつ、途中から現行の文壇に対する鋭い批判を展開し、自説を開陳してゆく構成も引き継がれています。

「サルトルと秋聲」は「東京新聞」に三日間にわたって掲載された評論です。敗戦後の文壇はサルトルを選ぶか秋聲を選ぶか問われている、と大胆に問題提起した上で、サルトルを選ぶことで硬直した文壇に活力を与えるべきだと訴えています。その論旨も、敗戦によって日本も日本人も亡びたはずなのに、文壇の権威が変わらぬことへ苛立ちも、「可能性の文学」の後半の内容と重なっています。なお、最初に批判されている、志賀直哉の名を借りて作之助を批判した「情痴作家」とは、丹羽文雄です。

このように見てくると、「可能性の文学」が、作之助の文学論の集大成であることがよくわかるのではないでしょうか。敗戦直後、世の中は激変しているにもかかわらず、文壇は旧態依然としていることに焦燥し、小説の面白さと「嘘」の活かし方を訴えていく。伝統的な日本文学の書き方とは敢えて異なる表現を目指す。このような作之助の主張が「可能性の文学」で初めてなされたわけではないことは、ここまで作之助の文学論を追ってきた読者には明らかでしょう。新しい表現の追究を訴える評論そのものを、坂田三吉の端歩から説き起こしたり、太宰や安吾との交友をはじめ書いている現場を織り交ぜたりという、型破りな方法で実践していることも見逃せません。京都で知り合っていた桑原武夫の評論「第二藝術—現代俳句について」の翌月に発表されたことには、自明のようになっていた権威に疑いを差し挟む、時代との共振もあったはずです。

「対談　可能性の文学」※は、「可能性の文学」を執筆する前に、朝日新聞の吉村正一郎と語り合った対談です。志賀直哉批判やサルトルなど、骨子は既にここに出ており、「可能性の文学」のサブテキストとして読むことができます。作之助にとっては、このような対話を通じて自らの主張を洗練させて「可能性の文学」の執筆に臨んだのでしょう。一方で、端歩には一切触れていない点は、「坂田三吉のこと」とは反対の意味で、「可能性の文学」でやろうとしていたことを浮き彫りにするはずです。

「大阪の可能性　大阪の言葉」は、大阪というより、大阪弁とその表現方法について考察している評論です。大阪弁と京都弁、あるいは大阪弁の中の細かい差異にも言及しながら、ヴァーチャルな、役割語となった方言ではない大阪弁の含蓄を書き表すための工夫や苦悩が、他作家の大阪弁作品も用いながら綴られます。言葉だけでなく、このあと大阪の土地や人について、何を語ろうとしていたのでしょうか。四六年の夏に書かれた「大阪の憂鬱」などでは、敗戦後の闇市場が殷賑を極める焼け跡の大阪に対して、失望の色を隠せないように見えます。それだけに作之助が大阪の何に「可能性」を見ようとしていたのかが、作者の死によって読めなくなってしまったことが惜しまれます。

「文学的饒舌」は、断章形式で綴られた評論です。断片の連続だけに、巧みに構成された

「可能性の文学」とは異なり、まとまりはありません。が、雑談混じりの文学論を聞いているような、生々しい言葉が溢れています。継続的に執筆しながら自分なりの小説観を発展させていくつもりだったこともうかがえて、やはり中途で終わってしまったことが惜しまれます。もし続いていれば、太宰治が晩年に発表した『如是我聞』を先駆けたような評論が生まれていたのではないでしょうか。

以上、本書に収めた作之助の文学論を概観しました。もっとも、なにしろ相手は「嘘」の可能性を積極的に語った作家です。ここでなされている主張は、間違いなく織田作之助の文学的主張でありながら、彼が頭の中で考えていたことそのままだとは限りません。大谷晃一の伝記『織田作之助―生き愛し書いた』には、日本工業新聞で働いていた時代に親しかった産経新聞の広田万寿雄に対して「おれは『二流文楽論』を書くよって、お前はこれをたたけ。その原稿をどこかの雑誌へ売り込んだるわ」と述べていた作之助が描かれています。大谷が言うように、作之助は「逆上していたようでいて、実は話題を大いにわき立たせることを、ちゃんと計算していた」のです。本書に収められた一連の文学論には、時に感情的になっているような様子も認められますが、その要所要所に凝らされた工夫から考えても、ナマの主張が剝き出しにされているわけではなく、十分に練られ、あるいはあえて先鋭化させて世に問うていると見るべきでしょう。

「猫も杓子も…」や「円い卵も切りようで四角い…」といった、くり返し用いられているフレーズをはじめ、独特の言い回しも作之助の評論の魅力です。また、つい吹き出してしまうような、笑いを誘う表現も随所に織りこまれているはずです。そのような、坂口安吾が作之助を追悼した「大阪の反逆」で「徹底した戯作者根性」と高く評価した、読者へのサービスまで味わってもらえればと思います。私見では、作之助を大阪の作家たらしめている理由も、そうした旺盛なサービス精神にあります。その主張と主張のされ方と、両方を楽しめるのが織田作之助の文学論なのです。

**斎藤理生**（さいとう・まさお）＝一九七五年生まれ。日本近代文学研究、大阪大学文学研究科准教授。著書に『太宰治の小説の〈笑い〉』、『小説家、織田作之助』、『太宰治　単行本にたどる検閲の影（共編著）』など。

本書は、初出に拠り、現代用字用語に改めています。明らかな誤字・脱字は訂正しました。

「可能性の文学」への道　織田作之助評論選

2020年12月10日　第1刷発行

著　者　　織田 作之助
発行者　　新船 海三郎
発行所　　株式会社 本の泉社
〒113-0033 東京都文京区本郷2-25-6
TEL. 03-5800-8494　FAX. 03-5800-5353
印　刷　　音羽印刷 株式会社
製　本　　株式会社 村上製本所
ＤＴＰ　　木椋 隆夫


ISBN978-4-7807-1983-3 C0095